gli Adelphi
152

James M. Cain (1892-1977), scrittore e gior-
nalista, ha pubblicato una decina di romanzi,
fra cui *La morte paga doppio* (1936; Adelphi,
1998) e *Mildred Pierce* (1941). La prima edizione di *Il postino suona sempre due volte* è del 1934.

JAMES M. CAIN

Il postino suona sempre due volte

TRADUZIONE DI FRANCO SALVATORELLI

ADELPHI EDIZIONI

TITOLO ORIGINALE:
The Postman Always Rings Twice

Prima edizione: maggio 1999
Seconda edizione: aprile 2001

© 1934 JAMES M. CAIN
RENEWED 1962 BY JAMES M. CAIN

This translation published by arrangement
with Alfred A. Knopf, Inc.

© 1999 ADELPHI EDIZIONI S.P.A. MILANO

ISBN 88-459-1467-4

IL POSTINO
SUONA SEMPRE DUE VOLTE

à Vincent Lawrence

CAPITOLO 1

Mi buttarono fuori dal camion verso mezzogiorno. C'ero saltato sopra la notte, giù al confine, e appena steso sotto il telone, nel fieno, mi ero addormentato. Sonno ne avevo un bel po', dopo tre settimane a Tiajuana, e dormivo ancora quando si fermarono a uno slargo per far freddare il motore. Videro spuntare un piede e mi tirarono giù. Provai a cavarmela con qualche frottola, ma come parlare al muro; sicché fine della corsa. Però mi diedero una sigaretta, e mi incamminai sulla strada in cerca di qualcosa da mangiare.

Fu allora che capitai in questa Taverna delle Due Querce. Era solo una trattoriola come ne trovi a migliaia lungo le strade della California. Tavola calda al pianterreno, con sopra l'abitazione; fuori, di lato, una pompa di benzina, e sul retro cinque o sei casotti, autostello, li chiamavano. Piombai là con aria di fretta e mi misi a guardare la strada. Al greco, quando comparve, chiesi se era venuto un tale con una Cadillac. Doveva passare qui a prendermi, dissi, e avremmo pranzato. Finora no, disse il greco. Mi apparecchiò a un tavolo e domandò cosa desideravo. Dissi succo d'arancia, fiocchi di granturco, uova al tegame col bacon,

9

enchilada, frittelle e caffè. Quasi subito tornò col succo d'arancia e i fiocchi.

«Aspetti un po', senta. Ho da dirle una cosa. Se questo tale non arriva dovrà farmi credito. Pagare toccava a lui, e io per me sono un po' a corto».

«Ok-kay, mangia».

Vidi che aveva capito al volo, e smisi di parlare del tizio con la Cadillac. Mi accorsi presto che voleva qualcosa.

«Tu cosa fai, che genere di lavoro, eh?».

«Mah, una cosa e l'altra, questo e quello. Perché?».

«Quanti anni hai?».

«Ventiquattro».

«Giovanotto, eh? Un giovanotto mi servirebbe, al momento. Per la baracca».

«Bel posto, questo che ha qui».

«L'aria. C'è aria buona. Niente nebbia, come a Los Angeles. Mai nebbia. Bello limpido, sempre bello limpido».

«Sarà una meraviglia, la notte. Si sente dall'odore».

«Dormi che è un piacere. Di automobili sai niente? Riparazioni?».

«Certo. Sono un meccanico nato».

Me la contò un altro po' sull'aria, e di come lui stava bene in salute da quando era qui, e chissà perché gli aiutanti lo piantavano in asso. Io il perché lo capivo, ma il mulo lo attacco alla greppia.

«Eh? Ti piace qui, che dici?».

A quel punto avevo posato l'avanzo del caffè, e accesi il sigaro. Offerto da lui. «Ecco, le dirò. Il guaio è che ho un paio di altre proposte. Ma ci penserò. Ci penserò di sicuro».

Poi vidi lei, che finora era rimasta nel retro, in cucina. Venne fuori a sparecchiare. Carrozzeria a parte, non è che fosse una bellezza mozzafiato. Ma aveva un'aria imbronciata e un certo modo di sporgere le labbra che mi fece venir voglia di masticargliele.

«Mia moglie».

Lei non mi guardò. Risposi al greco con una mossa di testa, accennai un mezzo saluto col sigaro, e finì lì. Portò via i piatti, e tra lui e me come se nemmeno si fosse affacciata. Poi me ne andai, ma cinque minuti dopo ero di ritorno, per lasciare un messaggio al tizio della Cadillac. Mezz'ora per farmi convincere, ed eccomi nella stazione di servizio a riparare gomme.

«Come ti chiami, eh?».

«Frank Chambers».

«Io Nick Papadakis».

Una stretta di mano e corse via. Di lì a un minuto lo sentii cantare. Aveva una bella voce. Dalla stazione di servizio c'era un buon colpo d'occhio sulla cucina.

CAPITOLO 2

Verso le tre arrivò un tizio imbestialito perché gli avevano incollato un'etichetta sul deflettore. Dovetti andare in cucina per staccarla, col vapore.

«Enchiladas? Certo che le sapete fare, voialtri».

«Che vuol dire, voialtri?».

«Be', tu e tuo marito. Tu e Nick. Quella che ho mangiato a pranzo era una delizia».

«Ah».

«Hai uno straccio? Per reggere quest'affare?».

«Tu intendevi un'altra cosa».

«Come sarebbe?».

«Mi credi messicana».

«Neanche per idea».

«Sì invece. Non sei il primo. Be', sta' a sentire. Io sono bianca come te, capito? Avrò i capelli scuri e un po' l'aria a quel modo, ma sono bianca come te. Ficcatelo in testa, se vuoi che andiamo d'accordo».

«Ma non sembri messicana».

«Ti sto dicendo. Sono bianca come te».

«No, non sembri per niente messicana. Le messicane hanno tutte fianchi larghi, brutte gambe e il petto che gli arriva al mento. Hanno la pelle gialla e i capelli che sembrano ingrassati col lardo. Tu non sei mica così. Sei piccolina, e hai una bella pelle bianca e i capelli morbidi e ricciuti, anche se sono neri. Delle messicane hai solo i denti. Questo bisogna riconoscerlo, loro hanno tutte denti bianchi».

«Prima di sposare mi chiamavo Smith. Non è molto messicano, no?».

«Non molto».

«E poi non sono nemmeno di queste parti. Sono dell'Iowa».

«Smith, eh. E di nome come fai?».

«Cora. Puoi chiamarmi così, se ti va».

Avevo preso quel posto puntando su un'idea che mi ero fatta, e ora seppi di sicuro che l'idea era giusta. Non erano le enchiladas che doveva cucinare, e neanche il fatto di avere i capelli neri. Era essere sposata con quel greco che la faceva sentire come se non fosse bianca. Aveva perfino paura che mi mettessi a chiamarla signora Papadakis.

«Cora. Certo. E se tu mi chiamassi Frank?».

Si accostò per darmi una mano con quel deflettore. Era così vicina che potevo odorarla. Le parlai a un dito dall'orecchio, quasi bisbigliando. «Com'è che hai sposato questo greco, comunque?».

Sussultò come se le avessi dato una frustata. «Che, sono affari tuoi?».

«Sì. Eccome».

«Tieni, prendi il tuo deflettore».

«Grazie».

Uscii. Avevo ottenuto quello che volevo. Le avevo dato una botta a bruciapelo, una bella botta, da lasciare il segno. D'ora in avanti ce la saremmo giocata fra lei e me. Forse non avrebbe detto di sì, ma senza mettermi i bastoni fra le ruote. Sapeva le mie intenzioni, e che io sapevo cosa le girava in testa.

Quella sera a cena il greco se la prese con lei perché non mi aveva dato abbastanza patate fritte. Voleva che io lì mi trovassi bene, e non lo piantassi come gli altri.

«Un uomo bisogna farlo mangiare».

«Stanno sul fornello. Non può servirsi da solo?».

«Non vi preoccupate. Devo ancora finire queste».

Lui a insistere. Se avesse avuto un po' di sale in zucca avrebbe capito che c'era qualcosa dietro, perché lei, devo dirlo a suo merito, non era tipo da lasciare che uno si servisse da sé. Ma era stupido, e continuò a baccagliare. Stavamo al tavolo di cucina, lui a un capo, lei all'altro e io in mezzo. Non la guardavo, ma vedevo il vestito: uno di quei grembiuli bianchi da infermiera come lo portano tutte, che lavorino nello studio di un dentista o in una panetteria. Al mattino era pulito, ma adesso mica tanto, e un po' sciattato. Di lei sentivo l'odore.

«Oh, per l'amor del cielo».

Si alzò per prendere le patate. Il grembiule si aprì per un attimo e le vidi le gambe. Mi servì le patate, le lasciai sul piatto. «Ecco qua, tante storie e poi nemmeno le vuole».

«Ok-kay. Ma ce l'ha, *se* le vuole».

«Non ho fame. A pranzo ho mangiato un sacco».

Il greco, come se avesse ottenuto chissà che vittoria, e ora, da quel grand'uomo che era, la volesse perdonare. «Lei è molto brava. È il mio passerottino, la mia colombella».

Ammiccò e andò al piano di sopra. Lei e io restammo lì, senza dire una parola. Tornò giù con un bottiglione e una chitarra. Mi versò del vino, ma era vino greco dolce, mi diede allo stomaco. Si mise a cantare. Aveva una voce da tenore, non di quei tenorini che si sentono alla radio, un tenore robusto, e negli acuti faceva un singhiozzo, come nei dischi di Caruso. Ma io non lo ascoltavo, stavo male, e peggio da un momento all'altro.

Vide che faccia avevo e mi portò fuori. «Qua all'aria, ti sentirai meglio».

«Sto bene. Ora mi passa».

«Siediti, stattene tranquillo».

«Torna pure dentro. È solo che ho mangiato troppo a pranzo. Ora mi passa».

Rientrò, e vomitai l'anima. Macché pranzo. Non era questo, né le patate o il vino. Volevo quella donna, la volevo talmente che non riuscivo a reggere niente nello stomaco.

L'indomani trovammo l'insegna abbattuta. Durante la notte si era alzato il vento, e al mattino era bufera e l'aveva portata via.

«Tremendo. Guarda che roba».

«Un ventaccio. Non ho dormito. Sveglio tutta la notte».

«Un ventaccio sì, ma guarda l'insegna».

«È rotta».

Continuai a rabberciarla, e lui veniva fuori a guardare. «Dove l'hai pescata questa insegna, comunque?».

«Era qui quando ho comprato il locale. Perché?».

«Non vale niente. Miracolo che ci fai affari».

Andai a dar benzina a una macchina e lo lasciai a pensarci su. Quando tornai stava ancora lì a sbirciarla, appoggiata com'era al muro esterno. Tre lampadine erano scoppiate. Infilai la spina, e metà delle altre non si accesero.

«Mettici delle lampadine nuove, appendila, andrà benone».

«Il padrone sei tu».

«Cos'ha che non va?».

«È un vecchiume. Insegne con le lampadine non le ha più nessuno. Ci sono quelle al neon. Fanno più figura, e consumano meno. E poi, che c'è scritto? "Due Querce", tutto qui. "Taverna" non è neanche illuminato. Be', a me "Due Querce" non mi fa venir fame. Non mi fa venir voglia di fermarmi a mangiare un boccone. Costa soldi, questa insegna, solo che tu non lo sai».

«Aggiustala, andrà bene».

«Perché non ne metti una nuova?».

«Non ho tempo».

Ma dopo un po' rieccolo, con un pezzo di carta. Si era disegnato un'insegna nuova, colorata coi pastelli in rosso, bianco e blu. Diceva TAVERNA DELLE DUE QUERCE, ROSTICCERIA E CUCINA, TOELETTE IGIENICHE, PROPR. N. PAPADAKIS.

«Uno schianto. Farà furore».

Corressi un po' l'ortografia, e lui aggiunse qualche ghirigoro alle lettere.

«Nick, cosa stiamo a rimettere su la vecchia insegna? Perché non vai in città oggi, e ti fai fare questa nuova? È una bellezza, davvero. E conta molto. Un posto vale quanto la sua insegna, no?».

«Ok-kay. Vado, perdinci».

Los Angeles era solo a venti miglia di distanza, ma lui si agghindò come se andasse a Parigi, e subito dopo pranzo partì. Appena fu andato via chiusi a chiave la porta di strada. Presi da un tavolo il piatto lasciato da un cliente e lo portai in cucina. Lei era là.

«C'era rimasto questo su un tavolo».

«Ah, grazie».

Lo posai, con la forchetta che tamburellava.

«Volevo andare con Nick, ma mi sono messa a cucinare un po' di roba e ho pensato che era meglio di no».

«Ho parecchio da fare anch'io».

«Ti senti meglio?».

«Sì, tutto a posto».

«A volte basta poco. Un cambiamento d'acqua, magari, o qualcosa del genere».

«Dev'essere stato il pranzo, ho mangiato troppo».

«Cos'è?».

Fuori c'era qualcuno e scuoteva la porta. «Gente che vuol entrare, si direbbe».

«È chiuso a chiave, Frank?».

«Già, devo aver chiuso».

Mi guardò e impallidì. Si affacciò alla porta di cucina, poi andò in sala, ma tornò subito.

«Sono andati via».

«Non so perché ho chiuso».

«Mi sono dimenticata di riaprire».

Fece per tornare in sala ma la fermai. «Lascia... lasciamola chiusa».

«Se è chiusa non può entrare nessuno. Ho da cucinare. Laverò questo piatto».

La presi tra le braccia e schiacciai la mia bocca contro la sua... «Mordimi! Mordimi!».

La morsi. Le piantai i denti nelle labbra, da farmi schizzare il sangue in bocca. Quando la portai di sopra le gocciava sul collo.

CAPITOLO 3

Per due giorni, dopo, fui giù di forma, ma il greco era irritato con me, sicché feci del mio meglio. Era irritato perché non avevo aggiustato la porta a dondolo tra la sala e la cucina. Lei gli aveva detto che la porta sbattendo l'aveva ferita alla bocca. Qualcosa doveva dirgli; la bocca, dove l'avevo morsa, era tutta gonfia. Così lui diede la colpa a me, che non avevo aggiustato la molla. Allungai la molla, in modo da indebolirla, e tutto sistemato.

Ma la vera ragione per cui mi guardava storto era l'insegna. Se ne era innamorato, e temeva che io andassi a dire che l'idea era stata mia e non sua. Era un'insegna così di lusso che quel pomeriggio non erano riusciti a finirla. Ci misero tre giorni, e quando fu pronta andai a prenderla e l'appesi. C'era tutto quello che lui aveva disegnato sulla carta, e anche un paio di altre cose. C'era una bandiera greca e una americana, due mani che si stringevano, e la scritta Soddisfazione Garantita. Tutto in lettere al neon bianche rosse e blu. Aspettai che facesse buio per dare la corrente. Quando girai l'interruttore si illuminò come un albero di Natale.

«Be', ne ho viste di insegne in vita mia, ma una così mai. Devo farti i complimenti, Nick».

«Perdinci. Perdinci».

Ci stringemmo la mano. Eravamo di nuovo amici.

L'indomani mi trovai un minuto da solo con lei, e le avventai il pugno contro la gamba, così forte da farla quasi cadere.

«Che ti prende?». Ringhiava come un puma. Mi piaceva, così.

«Come va, Cora?».

«Di schifo».

Da allora ricominciai a odorarla.

Un giorno il greco sentì che un tizio su per la strada gli faceva concorrenza vendendo la benzina a un prezzo più basso, e saltò in macchina per andare a vedere come stavano le cose. Io quando partì ero in camera mia. Stavo per precipitarmi giù in cucina, ma lei era già lì sulla porta.

Era la prima volta che avevo modo di avvicinarla e di guardarle la bocca. Il gonfiore era sparito, ma si vedevano ancora i segni dei denti, piccole grinze blu sulle due labbra. Le toccai con le dita, erano molli e umide. Le baciai, piano, dei baci leggeri come non ne avevo mai dati. Restò con me per un'ora, fino al ritorno del greco. Non facemmo niente, solo stesi sul letto. Lei mi arruffava i capelli e guardava il soffitto, con l'aria pensierosa.

«Ti piace la torta di mirtilli?».

«Non so. Sì, penso di sì».

«Te la farò».

«Attento, Frank. Sfascerai una balestra».

«Al diavolo le balestre».

Ci stavamo ficcando in una macchia di eucalipti vicino alla strada. Il greco ci aveva mandato al mercato a riportare certe bistecche secondo lui immangiabili, e al ritorno si era fatto buio. Infrattai l'auto là dentro, a singhiozzi e sobbalzi, e quando fui in mezzo agli alberi mi fermai. Nemmeno avevo spento i fari che lei mi abbracciò. Ci demmo parecchio da fare. Dopo un po' restammo lì seduti e basta. «Frank, non posso andare avanti così».

«Neanch'io».

«Non ci reggo. E con te mi voglio ubriacare. Sai che voglio dire? Ubriacare».

«Sì».

«Quel greco lo odio».

«Perché te lo sei sposato? Non me l'hai ancora detto».

«Niente, ti ho detto».

«Non abbiamo perso tempo a parlare».

«Lavoravo in un buco di trattoria. Passa due anni in una trattoria di Los Angeles, e il primo tizio che ha un orologio d'oro te lo prendi».

«Quando sei venuta via dall'Iowa?».

«Tre anni fa. Avevo vinto un concorso di bellezza. Alle superiori, a Des Moines. È là che abitavo. Il premio era un viaggio a Hollywood. Quando scesi dal treno erano in quindici a fotografarmi, e due settimane dopo stavo in quella bettola».

«Non sei tornata a casa?».

«Questa soddisfazione non volevo dargliela».

«Cinema, niente?».

«Mi fecero un provino. La faccia andava bene. Ma adesso si parla; nei film, cioè. E quando ho cominciato a parlare, lassù sullo schermo, mi hanno conosciuta per quello che ero, e l'ho capito anch'io. Una povera squinzia di Des Moines, che nel cinema aveva le stesse possibilità di una scimmia. Macché, una scimmia almeno può far ridere. Io facevo solo venire mal di pancia».

«E poi?».

«Poi due anni di uomini che ti pizzicano le gambe e

ti lasciano tre soldi di mancia e chiedono ti andrebbe stasera di fare un po' festa. Qualche volta ci sono andata a quelle feste, Frank».

«E poi?».

«Sai di che feste parlo?».

«Sì».

«Poi è arrivato lui. L'ho preso, e parola, volevo essergli fedele. Ma non ce la faccio più. Dio, ho l'aria di un passerottino?».

«A me sembri più una strega».

«Tu non sei scemo, questo hai. Con te non devo fare la commedia. E sei pulito. Non sei unticcio. Frank, hai un'idea di cosa vuol dire? Non sei unticcio».

«Un po' me lo immagino».

«Non credo. Un uomo non può capire cosa significa per una donna. Dover stare con uno che quando ti tocca ti dà il voltastomaco. Mica è vero che sono una strega, Frank. È solo che non ci reggo più».

«Cos'è, vuoi prendermi in giro?».

«Oh, d'accordo. Sarò una strega, allora. Ma non credo che sarei tanto male, con uno un po' meglio».

«Cora, perché non ce ne andiamo? Tu e io».

«Ci ho pensato. Ci ho pensato molto».

«Piantiamo questo greco e via. Scappiamo».

«Dove?».

«Dovunque. Che ci importa?».

«Dovunque, dovunque. Lo sai dov'è, il tuo dovunque?».

«Qualsiasi posto. Dove ci pare».

«No. È un'altra bettola».

«Macché bettola. Sto parlando della strada. È bello, Cora. Nessuno la conosce meglio di me, la conosco come le mie tasche. E so come muovermi. Non è questo che vogliamo? Essere due vagabondi, che è quello che siamo veramente?».

«Bel vagabondo eri. Non avevi nemmeno i calzini».

«Ti sono piaciuto».

«Mi sono innamorata. Ti amerei anche senza la camicia. Soprattutto senza la camicia, così potrei sentire che belle spalle sode hai».

«Fare a pugni con gli agenti ferroviari sviluppa i muscoli».

«E tu sei sodo tutto quanto. Grande, alto e sodo. E hai i capelli chiari. Non sei un ometto unto e molliccio con i capelli neri crespi, che ogni sera li innaffia con l'estratto di pimento».

«Chissà che buon odore».

«Ma non funzionerà, Frank. La strada non porta da nessuna parte, solo alla bettola. La bettola per me, e un lavoro del genere per te. Qualche postaccio, custode di parcheggio, con tanto di grembiule. Mi metterei a piangere se ti vedessi col grembiule, Frank».

«E allora?».

Rimase un pezzo in silenzio, torcendomi la mano tra le sue. «Frank, mi ami?».

«Sì».

«Mi ami tanto che non conta nient'altro?».

«Sì».

«C'è solo un modo».

«E dicevi che non sei una strega?».

«L'ho detto, ed è vero. Non sono come pensi tu, Frank. Voglio lavorare e essere qualcosa, tutto qui. Ma senza amore non si può. Lo sai questo, Frank? Almeno, una donna non può. Ecco, ho fatto uno sbaglio. E per rimediare devo agire da strega, per una volta. Ma non sono veramente una strega, Frank».

«Ti impiccano, per una cosa del genere».

«No, se la fai bene. Tu sei in gamba, Frank. Non ti ho ingannato neanche per un attimo. Troverai un modo. L'hanno fatto in tanti. Stai tranquillo, non sono la prima donna che ha dovuto diventare strega per cavarsi da un impiccio».

«Nick non mi ha fatto niente. È un brav'uomo».

«Ma quale brav'uomo. Puzza, ti dico. È unto e puzza. E credi che ti lascerei andare in giro in grembiule, con Autoricambi scritto sulla schiena, e Grazie Tornate a Trovarci, mentre lui ha quattro vestiti e una dozzina di camicie di seta? Non è mezza mia, questa baracca? Cucino, no? E cucino bene. E tu non fai la tua parte?».

«Parli come se fosse una cosa giusta».

«Chi lo saprà se è una cosa giusta o no, salvo tu e io?».

«Tu e io».

«Ecco, Frank. È questo che importa, no? Non tu e io e la strada, o qualcos'altro. Solo tu e io».

«Una strega sei di sicuro, però. Altrimenti non potresti farmi sentire così».

«Questa cosa la faremo. Baciami, Frank. Sulla bocca».

La baciai. I suoi occhi splendevano come due stelle azzurre. Era come essere in chiesa.

CAPITOLO 4

«Hai un po' di acqua calda?».

«Non puoi prenderla in gabinetto?».

«C'è Nick».

«Ah. Ti do questa della pentola. A lui piace la vasca piena, usa tutta quella dello scaldabagno».

Così l'avremmo raccontata e così facevamo. Era notte, circa le dieci, avevamo chiuso il locale, e il greco era in bagno per la sua lavata del sabato sera. Io dovevo portare su l'acqua, per farmi la barba, e poi mi sarei ricordato che avevo lasciato la macchina fuori. Sarei uscito, di guardia, per avvertirla col clacson se arrivava qualcuno. Lei doveva aspettare finché sentiva che lui era dentro la vasca, entrare in gabinetto per prendere un asciugamano, e colpirlo da dietro con un mazzapicchio fatto da me, un sacchetto da zucchero con in fondo delle biglie d'acciaio, per i cuscinetti, avvolte nell'ovatta. (Dapprima si era stabilito che fossi io a colpirlo; ma avevamo pensato che se entrava lei non le avrebbe badato, mentre se ero io, dicendo che mi occorreva il rasoio, magari sarebbe uscito dalla vasca o che so, per aiutarmi a cercare). Poi lei lo avrebbe tenuto sott'acqua finché annegava. Avrebbe lasciato aperto un filo d'acqua, sarebbe uscita dalla finestra sul tetto della veranda, e scesa giù per la scala a pioli collocata lì in precedenza. Mi avrebbe ridato il mazzapicchio e sarebbe tornata in cucina. Io dovevo rimettere le biglie nella scatola, gettare via il sacchetto, portare dentro l'auto, salire in camera mia e cominciare a farmi la barba. Lei avrebbe aspettato che l'acqua colasse giù in cucina e avrebbe gridato. Avremmo sfondato la porta, trovato lui e chiamato il dottore. Ci figuravamo che alla fine sarebbe sembrato che era scivolato nella vasca, aveva battuto la testa ed era affogato. L'idea mi era venuta dal giornale, un articolo dove diceva che la maggior parte degli incidenti capitano proprio nella vasca da bagno.

«Stai attento. È bollente».

«Grazie».

Era in una casseruola, la portai su in camera, la posai sul comò e vicino la roba per radermi. Scesi e andai all'auto, mi ci sedetti in modo da vedere la strada e anche la finestra del bagno. Il greco cantava. Pensai che mi conveniva prendere nota di che canzone era. Era *Mamma Machree*. La cantò una volta e ricominciò daccapo. Guardai nella cucina. Lei era ancora lì.

Dalla curva sbucò un camion col rimorchio. Carezzai il clacson. A volte quei camionisti si fermavano per mangiare un boccone, ed era gente che bussava alla porta finché non aprivi. Ma il camion proseguì. Passarono un paio di automobili, senza fermarsi. Guardai di nuovo in cucina, e lei non c'era più. Si accese una luce in camera da letto.

Poi d'improvviso vidi muoversi qualcosa, verso la veranda. Stavo quasi per suonare ma mi accorsi che era un gatto. Solo un gatto grigio, ma mi scombussolò. Un gatto era l'ultima cosa che volevo vedere in quel momento. Sparì un attimo e rieccolo, che fiutava la scala a pioli. Non era il caso di suonare, per un gatto, ma non volevo che girasse intorno a quella scala. Scesi dall'auto, andai là e lo cacciai via.

Stavo tornando alla macchina e il gatto ricomparve, cominciò ad arrampicarsi sulla scala. Lo scacciai di nuovo e lo feci correre fino ai casotti sul retro. Prima di risalire in macchina mi fermai un momento a vedere se tornava. Dalla curva spuntò un agente in motocicletta. Mi vide lì in piedi, spense il motore e si avvicinò in folle, prima che potessi muovermi. Si fermò tra me e l'automobile. Non potevo suonare il clacson.

«Prendiamo il fresco?».

«Sono uscito a mettere via la macchina».

«È sua?».

«Del principale. Lavoro qui».

«Okay, era tanto per controllare».

Girò gli occhi attorno e vide qualcosa. «Ma guarda quello!».

«Cosa?».

«Un accidenti di gatto, su per quei pioli».

«Ah».

«I gatti mi piacciono un sacco. Ne combinano sempre una».

Si infilò i guanti, dette un'occhiata alla notte, rimise in moto con due colpi di pedale e partì. Appena fu sparito mi lanciai sul clacson. Troppo tardi. Ci fu un lampo nella veranda e tutte le luci si spensero. Dentro, Cora urlava con una voce da far paura. «Frank! Frank! È successo qualcosa!».

Corsi in cucina, ma là era buio pesto e non avevo fiammiferi in tasca. Dovetti andare a tastoni. Ci incontrammo sulle scale, lei che scendeva e io che salivo. Urlò di nuovo.

«Sta' zitta, per l'amor di Dio sta' zitta! L'hai fatto?».

«Sì, ma è andata via la luce e non l'ho spinto sotto!».

«Dobbiamo farlo rinvenire! C'era un agente là fuori e ha visto la scala!».

«Telefona al dottore!».

«Telefona tu, io lo tiro fuori di là!».

Lei scese e io andai di sopra, entrai in bagno. Lui era steso nella vasca, ma aveva la testa fuori dall'acqua.

Cercai di sollevarlo; difficile, era scivoloso per via del sapone, e per farcela dovetti entrare con le gambe nella vasca. Intanto sentivo Cora, di sotto, che parlava col centralino. Non le diedero un dottore. Le diedero la polizia.

Lo tirai su, lo appoggiai sul bordo e poi uscii dalla vasca anch'io, lo trascinai in camera e lo misi sul letto. Cora venne di sopra, trovammo dei fiammiferi e accesa una candela ci demmo da fare, io ad avvolgergli un asciugamano bagnato intorno alla testa, lei a strofinargli i piedi e i polsi.

«Mandano un'ambulanza».

«Va bene. Lui ti ha visto, che lo colpivi?».

«Non so».

«Gli stavi dietro?».

«Credo di sì. Ma poi si è spenta la luce e non so cosa è successo. Che hai fatto alla luce?».

«Niente. È saltata la valvola».

«Frank. Sarebbe meglio se non si riprende».

«Deve riprendersi. Se muore siamo fottuti. Ti dico, quell'agente ha visto la scala. Se muore capiranno. Se muore ci incastrano».

«Ma se mi avesse visto? Cosa dirà quando rinviene?».

«Forse non ti ha visto. Basta che gli contiamo una storia. Tu eri qui, la luce è saltata, l'hai sentito scivolare e cadere, e quando gli hai parlato non ti ha risposto. Allora mi hai chiamato, punto e basta. Qualunque cosa dica, tu bada a ripetere questo. Se crede di aver visto qualcosa se lo è solo immaginato, tutto qui».

«Perché non si sbrigano con questa ambulanza?».

«Arriverà».

Arrivò, lo stesero su una barella e lo caricarono su. Cora andò con lui, io dietro nell'auto. Verso Glendale un agente motociclista si incaricò di farci da battistrada. Andavano a più di cento all'ora e non riuscivo a seguirli. Arrivai all'ospedale che lo stavano tirando fuori. L'agente soprintendeva. Quando mi vide trasalì e mi piantò gli occhi addosso. Era quello di prima.

In ospedale lo misero su una lettiga e lo portarono in sala operatoria. Io e Cora ad aspettare in corridoio. Si avvicinò un'infermiera e si sedette con noi. Poi venne il poliziotto, insieme a un sergente. Continuavano a guardarmi. Cora raccontava all'infermiera com'era successo. «Ero andata lì, in bagno, cioè, per prendere un asciugamano, e si sono spente le luci, uno scoppio come una fucilata. Dio, un rumore tremendo. L'ho sentito cadere. Era in piedi, stava per aprire la doccia. Gli ho parlato, non rispondeva, e era tutto buio, non si vedeva niente, e non sapevo cos'era successo. Ho pensato che magari era rimasto fulminato, o qualcosa del genere. Poi Frank mi ha sentito gridare e è venuto su, l'ha tirato fuori dalla vasca. Allora ho chiamato l'ambulanza, e per fortuna è arrivata subito, sennò non so cosa avrei fatto».

«Vanno sempre svelti, quando c'è una chiamata di notte».

«Ho tanta paura che sia ferito grave».

«Non credo. Adesso gli stanno facendo i raggi, e dalle lastre si capirà. Ma non credo che sia grave».

«Dio mio, speriamo di no».

I poliziotti non dicevano niente. Stavano lì seduti e ci guardavano.

Riemerse la lettiga, e lui con la testa tutta fasciata. Lo misero su un ascensore, e montammo tutti quanti, Cora, io, l'infermiera e gli agenti. Di sopra lo portarono in una stanza, e noi dietro. Non c'erano abbastanza sedie per tutti, e mentre lo mettevano a letto l'infermiera andò a prenderne delle altre. Ci sedemmo. Qualcuno disse qualcosa, e l'infermiera li zittì. Venne un dottore, diede un'occhiata e andò via. Restammo lì un bel pezzo. Poi l'infermiera si accostò al ferito.

«Mi pare che stia rinvenendo».

Cora mi guardò, e evitai il suo sguardo. Gli agenti si chinarono per sentire quel che diceva. Nick aprì gli occhi.

«Si sente meglio?».

Non una parola, né lui né gli altri. C'era un silenzio che mi sentivo il cuore battere nelle orecchie. «Non riconosce sua moglie? È qui. Non si vergogna, cadere nella vasca come un bimbetto, solo perché si è spenta la luce. Sua moglie è molto arrabbiata. Non vuole parlarle?».

Lui cercò di dire qualcosa ma non ci riuscì. L'infermiera a fargli aria. Cora gli prese la mano e l'accarezzò. Nick stette qualche minuto con gli occhi chiusi, poi mosse le labbra e guardò l'infermiera.

«È venuto tutto buio».

Bisognava lasciarlo tranquillo, disse l'infermiera. Accompagnai Cora di sotto e la feci salire in macchina. Eravamo appena partiti e l'agente era lì dietro, che ci seguiva in motocicletta.

«Sospetta di noi, Frank».

«È quello di prima. Quando mi ha visto là fuori, a far la guardia, ha capito che c'era qualcosa storto. Non ha cambiato idea».

«Cosa facciamo?».

«Non lo so. Dipende tutto da quella scala, se indovina a cosa serviva. Che ne hai fatto del sacchetto?».

«L'ho ancora qui, in tasca al vestito».

«Dio del cielo, se là ti arrestavano e ti perquisivano eravamo spacciati».

Le diedi il mio coltello, per tagliare il legaccio del sacchetto e tirar fuori le biglie. Poi le dissi di passare dietro, di alzare il sedile posteriore e di infilarci sotto il sacchetto. Sarebbe sembrato uno straccio qualsiasi, di quelli che si tengono insieme agli attrezzi.

«Resta lì dietro e bada al poliziotto. Le biglie le schizzo nei cespugli una alla volta. Tu guarda se si accorge».

Lei a guardare, e io guidando con la sinistra appoggiai la destra al volante. Sparai la biglia col pollice, come si fa per gioco, fuori dal finestrino e di là dalla strada.

«Ha girato la testa?».

«No».

Gettai le altre, una ogni paio di minuti. Non vide niente.

Arrivammo al locale, era ancora al buio. Non avevo avuto tempo di trovare le valvole, e tanto meno di cambiarle. Quando fermai, l'agente mi passò avanti. «Do un'occhiata a quella scatola delle valvole, amico».

«Certo. Do un'occhiata anch'io».

Andammo là tutti e tre. L'agente accese una pila, e fece una specie di grugnito. Si chinò. C'era il gatto steso sul dorso, con le quattro zampe all'aria.

«Ma guarda che roba. Morto stecchito».

Puntò il raggio della torcia al soffitto della veranda, e sulla scala a pioli. «Ecco com'è andata, sicuro. Si ricorda? L'abbiamo visto sulla scala. Dalla scala è saltato sulla scatola delle valvole e c'è rimasto secco».

«Eh già. È successo che lei era appena andato via. Uno scoppio, come uno sparo. Non avevo nemmeno fatto in tempo a spostare la macchina».

«Dovevo essere già per strada».

«Aveva appena svoltato».

«Proprio sulle valvole è andato a finire. Mah, che farci. 'Ste povere bestie, mica può entrargli in testa la faccenda dell'elettricità, no? Non ci arrivano, nossignore».

«Certo che ha fatto una brutta fine».

«Brutta, sì. Morto stecchito. Peccato, era un bel gatto. Si ricorda che carino, quando si arrampicava su quei pioli? Mai visto un gatto così caruccio».

«Un bel colore, anche».

«E c'è rimasto secco. Be', ora vado. Mi pare che sia tutto chiaro. Sa, dovevo dare una controllata».

«Certo».

«Ci vediamo. Arrivederci, signora».

«Arrivederci».

CAPITOLO 5

Lasciammo il gatto dov'era, e le valvole e tutto il resto. Ci infilammo a letto e lei crollò. Piangeva, e poi le venne freddo e tremava tutta, e per un paio d'ore non ci fu verso di calmarla. Alla fine si rannicchiò tra le mie braccia e cominciammo a parlare.

«Mai più, Frank».

«No, mai più».

«Che pazzia è stata. Pazzia pura».

«L'abbiamo scampata per un pelo, solo fortuna».

«È stata colpa mia».

«Anche mia».

«No, sono io che ho avuto l'idea. Tu non volevi. La prossima volta ti darò ascolto, Frank. Tu sei in gamba. Non sei stupido come me».

«Salvo che non ci sarà nessuna prossima volta».

«Sicuro. Mai più».

«Avrebbero indovinato, anche se fossimo arrivati in fondo. Indovinano *sempre*. Indovinano comunque, per abitudine. Guarda come ha fatto presto quell'agente a capire che c'era qualcosa di storto. È questo che mi fa gelare il sangue. L'ha capito solo a vedermi là fuori. Se c'è arrivato così facilmente, e il greco moriva, che possibilità avremmo avuto?».

«Mi sa proprio che non sono una strega, Frank».

«Te l'ho ben detto».

«Altrimenti non mi sarei spaventata così. Ho avuto tanta paura, Frank».

«Ne ho avuta anch'io, un bel po'».

«Sai cosa volevo, quando si è spenta la luce? Volevo solo te, Frank. Quale strega, ero solo una bambina spaventata dal buio».

«E io c'ero, no?».

«Ti ho adorato, per questo. Non fosse stato per te, non so cosa ci sarebbe successo».

«Non male, eh, la storia di come è scivolato?».

«E ci ha creduto».

«Dammi una mezza possibilità, e agli sbirri gliela faccio in barba, ogni volta. Bisogna aver pronto qualcosa da raccontare, ecco cosa. Avere una risposta per tutto, ma il più vicino possibile alla verità. Li conosco. Ci ho avuto a che fare parecchio».

«Hai aggiustato tutto. Aggiusterai sempre le cose per me, vero, Frank?».

«Sei l'unica di cui mi è mai importato».

«Credo che non ho voglia di essere una strega».

«Sei la mia bambina».

«La tua bambina stupida. Sicuro, Frank. D'ora in avanti ti darò ascolto. Tu sarai il cervello e io lavorerò. So lavorare, Frank. Sono brava. Andremo d'accordo».

«Puoi dirlo».

«Dormiamo, adesso?».

«Ce la fai a dormire, tranquilla?».

«È la prima volta che dormiamo insieme, Frank».

«Ti piace?».

«È meraviglioso».

«Dammi il bacio della buonanotte».

«Che bello, potertelo dare».

La mattina dopo ci svegliò il telefono. Andò a rispondere lei, e quando tornò su le splendevano gli occhi. «Frank, indovina».

«Cosa?».

«Ha una frattura al cranio».

«Grave?».

«No, ma vogliono tenerlo in ospedale. Forse per una settimana. Stanotte potremo dormire di nuovo insieme».

«Vieni qua».

«Adesso no, dobbiamo alzarci. Bisogna aprire il locale».

«Vieni qua, prima che ti picchi».

«Matto che sei».

Fu una settimana felice, niente da dire. Nel pomeriggio lei andava all'ospedale, ma il resto del tempo stavamo insieme. Lavorammo per lui, anche. Il locale rimase sempre aperto e ci demmo dentro col lavoro. Certo fu un bel colpo, quel giorno che arrivarono un centinaio di ragazzini della scuola domenicale, con tre pullman, e fecero provviste, un sacco di roba da portare nei boschi, ma anche senza quello avremmo fatto buoni affari. Di noi, credete pure, il registratore di cassa non poteva lagnarsi.

Poi un giorno invece di andare sola andammo in due, e quando uscì dall'ospedale tagliammo per la spiaggia. Le diedero un costume giallo e una cuffietta rossa, e lì per lì neanche la riconoscevo. Sembrava una bambina. Finora non mi ero reso ben conto di com'era giovane. Giocammo nella sabbia, e poi in acqua, a farci dondolare dalle onde, io a prenderle di testa e lei di piedi. Stavamo stesi faccia a faccia, e sott'acqua ci tenevamo per mano. Guardavo il cielo, non si vedeva altro. Pensai a Dio.

«Frank».

«Sì?».

«Torna a casa domani. Sai che significa?».

«Sì».

«Dovrò dormire con lui, invece che con te».

«Dovresti, salvo che quando torna ce ne saremo andati».

«Ci speravo, che dicessi così».

«Solo tu e io e la strada, Cora».

«Solo tu e io e la strada».

«Due vagabondi e basta».

«Due zingari, ma saremo insieme».

«Ecco. Saremo insieme».

La mattina dopo facemmo i bagagli. Lei, almeno. Io avevo comprato un vestito. Indossai quello e basta. Lei mise le sue cose in una cappelliera, e quando l'ebbe riempita me la diede. «Mettila in macchina, vuoi?».

«In macchina?».

«Non prendiamo l'automobile?».

«No, se non vuoi passare la prima notte al fresco. Portare via la moglie a un uomo è niente, ma portargli via l'auto è un furto».

«Ah».

Ci incamminammo. C'erano due miglia per la fermata del bus, bisognava fare l'autostop. Ogni volta che passava una macchina allungavamo il braccio in fuori, come l'indiano nell'insegna dei tabaccai, ma niente. Un uomo solo un passaggio lo rimedia, e una donna sola, se è tanto scema da provarci, ma un uomo e una donna insieme hanno poca fortuna. Dopo una ventina di tentativi inutili Cora si fermò. Avevamo fatto sì e no un quarto di miglio.

«Frank, non posso».

«Cosa c'è?».

«Questo, c'è».

«Questo cosa?».

«La strada».

«Sciocchezze. Sei stanca, nient'altro. Senti, tu aspetta qui, e io trovo qualcuno che ci porti in città. Dovevamo fare così fin da subito. Poi andrà tutto bene».

«No, non è questo. Non è che sono stanca. Non posso, ecco tutto. Non posso proprio».

«Non vuoi stare con me, Cora?».

«Sì che voglio, lo sai».

«Be', non possiamo tornare indietro. Non possiamo ricominciare come prima, lo sai bene. Devi venire».

«Come vagabonda valgo poco, Frank, te l'avevo detto. Non mi sento una zingara. Non mi sento niente, ho solo vergogna di stare qui a chiedere un passaggio».

«Ti sto dicendo. Prendiamo un'auto e arriviamo in città».

«E poi?».

«Intanto siamo là. Poi ci daremo una mossa».

«No, Frank. Staremo in albergo una notte e poi ci metteremo a cercare lavoro. E a vivere in qualche topaia».

«Non è una topaia, quella dove stavi?».

«È diverso».

«Cora, la dai vinta alla fifa?».

«Inutile, Frank. Non ce la faccio a andare avanti. Addio».

«Mi vuoi ascoltare un momento?».

«Addio, Frank. Io torno indietro».

Tirava a sé la cappelliera, e io non volevo mollarla, volevo almeno portargliela io, ma me la strappò e fece dietrofront. Aveva un'aria così carina quando eravamo partiti, con un vestitino celeste e il cappello celeste, ma adesso era tutta sciattata, le scarpe impolverate, e non riusciva nemmeno a camminare diritta, per via che piangeva. D'improvviso mi accorsi che piangevo anch'io.

CAPITOLO 6

Trovai un passaggio fino a San Bernardino. Là c'è la ferrovia, e pensavo di saltare su un merci per l'Est. Ma non lo feci. Incontrai un tizio in una sala biliardo e mi misi a giocare con lui a palla in buca laterale. Era uno tutto gasato, perché aveva un amico che sapeva giocare davvero. L'unico suo guaio era che non giocava bene abbastanza. Bazzicai con quei due per un paio di settimane e gli spillai 250 dollari, tutto quello che avevano, e poi dovetti battermela dalla città alla svelta.

Montai su un camion che andava a Mexicali, e poi cominciai a pensare ai miei 250 dollari, e a come con tutti quei soldi avremmo potuto andare sulla spiaggia a vendere hot dog o che so io, fino a mettere da parte abbastanza per buttarci in qualcosa di meglio. Così mollai il camion e trovai un passaggio per tornare a Glendale. Mi misi a gironzolare per il mercato, dove loro andavano a far provviste, sperando di incontrarla. Le telefonai anche, un paio di volte, ma rispose il greco e dovetti far finta di aver sbagliato numero.

Tra un giro al mercato e l'altro andavo a un biliardo, un isolato più in là. Un giorno c'era un tizio che si esercitava da solo a uno dei tavoli. Si capiva che era un novellino da come teneva la stecca. Cominciai anch'io a fare qualche tiro sul tavolo accanto. Se 250 dollari bastavano per un chiosco di hot dog, con 350, pensai, saremmo stati in un ventre di vacca.

«Ti andrebbe di fare a palla in buca laterale?».

«Non ci ho giocato molto, a quel gioco».

«Che ci vuole. Una palla sola, nella buca di lato».

«Comunque, per me mi sembri troppo bravo».

«Io? Ma se sono una schiappa».

«Oh, va be'. È solo una partita amichevole».

Ci mettemmo a giocare, e gliene lasciai vincere tre o quattro, per farlo sentire a suo agio. Continuavo a scuotere la testa, come se non mi capacitassi.

«Troppo bravo per te, eh. Roba da ridere. Ma giuro che di solito sono un po' meglio di così. Non so, sembra che non ingrano. Se facessimo un dollaro a botta, tanto per metterci un po' di pepe?».

«Va bene, non è che rischio molto, per un dollaro».

Giocammo un dollaro a partita, e gliene lasciai vincere quattro o cinque, forse più. Tiravo con fare nervoso, e fra un tiro e l'altro mi asciugavo il palmo della mano col fazzoletto, come se mi sudasse.

«Insomma, proprio non vuole andare. Ci giochiamo cinque dollari, così magari posso rifarmi, e poi andiamo a bere qualcosa?».

«Va be'. È una partita amichevole, e non è che voglio i tuoi soldi. Facciamo cinque dollari e poi smettiamo».

Gliene lasciai vincere altre quattro o cinque, e da come mi comportavo pareva che avessi mal di cuore e peggio, che fossi più di là che di qua.

«Ascolta. Non sono tanto scemo da non capire che sono fuori fase, ma proviamo a giocarcene venticinque, per mettermi in pari, e poi si va a bere».

«Per me è un po' tanto».

«E che diavolo, giochi sui soldi miei, no?».

«Va be', d'accordo. Facciamo venticinque».

Fu allora che cominciai a giocare sul serio. Feci dei tiri che neanche un campione. Le infilai in buca con dei colpi a tre sponde, lavorai di taglio in modo che la biglia piroettava sul tavolo, dichiarai perfino un tiro a cavallina e lo feci. Lui non fece un tiro che non avrebbe saputo fare Blind Tom il Pianista Cieco. Lisciava le biglie, si cacciava in posizioni malmesse, mandava in buca la palla sbagliata e viceversa, non dichiarò nemmeno un tiro di sponda. E quando venni via i miei 250 dollari erano passati nelle sue tasche, insieme a un orologio da tre dollari che avevo comprato per star dietro a quando Cora fosse venuta al mercato. Oh, avevo giocato bene, niente da dire. Solo, non abbastanza.

«Ehi, Frank!».

Era il greco. Mi corse incontro attraverso la strada che appena mi ero affacciato alla porta.

«Frank, brutto figlio d'un cane, dove sei stato, accidenti, perché mi hai piantato proprio quando mi sono fatto male alla testa e avevo più bisogno di te?».

Ci stringemmo la mano. Aveva ancora la testa fasciata e gli occhi un po' stralunati, ma era in ghingheri, con un vestito nuovo, un cappello nero sulle ventitré, cravatta viola e scarpe marroni, la catena d'oro dell'orologio agganciata al panciotto, e un grosso sigaro in mano.

«Allora, Nick! Come te la passi?».

«Io per me benone, di salute, non potrei star meglio, ma tu perché sei scappato? Ce l'ho su con te, brutto figlio d'un cane».

«Be', Nick, mi conosci. Sto fermo per un po' e poi devo prendere aria».

«Bel momento hai scelto, per prendere aria. E cosa fai, eh? Dài che non fai niente, brutto figlio d'un cane, ti conosco. Su, vieni con me a comprare le bistecche, e ti racconto».

«Sei solo?».

«Non dire fesserie, chi diavolo credi che tiene aperto il locale, ora che mi hai piantato? Si capisce che sono solo. Io e Cora adesso non usciamo mai insieme, uno va e l'altro deve restare».

«D'accordo, andiamo un po'».

Ci mise un'ora a comprare le bistecche, tutto preso a raccontarmi come si era rotto la testa, e che i medici non avevano mai visto una frattura simile, e che vitaccia aveva fatto con i suoi aiutanti, ne aveva avuti due da quando ero partito, e uno l'aveva assunto e licenziato il giorno dopo, e l'altro era rimasto tre giorni e poi era scappato con i soldi di cassa, e come avrebbe dato non so cosa perché tornassi da lui.

«Frank, ascolta. Domani andiamo a Santa Barbara, io e Cora. Perdinci, ce la dobbiamo prendere una vacanza, no? Andiamo a vedere una festa, e tu vieni con noi. Ti va, Frank? Vieni con noi, e parliamo che tu torni a lavorare per me. Una festa a Santa Barbara, ti va?».

«Ho sentito che non sono male».

«C'è ragazze, c'è musica, balli per le strade, una bellezza. Dài, Frank, che dici?».

«Mah, non so».

«Cora con me si arrabbia, se ti ho incontrato e non ti porto a casa. Magari ti guarderà brutto, ma di te pensa bene. Su, Frank, andiamo tutti e tre. Ci divertiremo un sacco».

«Okay. Se lei è d'accordo, affare fatto».

Nel locale c'erano otto o dieci persone, quando arrivammo, e lei stava in cucina a lavare piatti più svelta che poteva, per averne abbastanza da servirle.

«Ehi. Ehi Cora, guarda. Guarda chi ti ho portato».

«Santo cielo, da dove sbuca?».

«L'ho trovato a Glendale. Viene a Santa Barbara con noi».

«Salve, Cora. Come ti va?».

«Chi ti conosce più, da queste parti».

Si asciugò in fretta e ci stringemmo la mano, ma

aveva la mano scivolosa di sapone. Andò in sala con un'ordinazione, e io e il greco ci sedemmo. Di solito lui l'aiutava a servire, ma era smanioso di mostrarmi una cosa, e lasciò che facesse da sola. Mi mostrò un grosso album. C'era incollato il suo certificato di naturalizzazione, e il certificato di matrimonio, e la licenza d'esercizio nella contea di Los Angeles, e una fotografia di lui in divisa da soldato greco, e una fotografia di lui e Cora il giorno del matrimonio, e poi tutti i ritagli di giornale sull'incidente. I ritagli, a dire il vero, parlavano più del gatto che di lui, ma insomma c'era scritto il suo nome, e che l'avevano portato all'ospedale di Glendale, e che la prognosi era favorevole. Il giornale greco di Los Angeles, però, parlava più di lui che del gatto, e c'era una sua fotografia vestito da cameriere, e la storia della sua vita. Poi c'erano le radiografie. Ce n'era una mezza dozzina, perché gliene avevano fatta una al giorno per vedere come procedeva. Le lastre lui le aveva sistemate incollando due pagine ai bordi e poi ritagliando in mezzo un quadrato, dov'era infilata la lastra, in modo da poterla guardare controluce. Dopo le radiografie c'erano tutte le ricevute, dei conti dell'ospedale, dei medici e delle infermiere. Quella botta sulla zucca gli era costata 322 dollari, ci crediate o no.

«Bello, eh?».

«Splendido. C'è tutto, punto per punto».

«Mica è finito, si capisce. Devo sistemarlo per bene, coi colori, rosso, bianco e blu. Guarda qui».

Mi mostrò un paio di pagine che aveva già decorato, con dei disegni a inchiostro colorati in rosso, bianco e blu. Per il certificato di naturalizzazione aveva messo un paio di bandiere americane e un'aquila, per la fotografia in divisa da soldato greco due bandiere greche incrociate e un'altra aquila, e per il certificato di matrimonio un paio di tortore su un ramoscello. Ancora non aveva deciso cosa mettere per l'altra roba, ma per i ritagli gli suggerii di fare un gatto con una fiamma rossa bianca e blu che gli usciva dalla coda, e la trovò una buona idea. Invece non afferrò quando gli dissi che sopra la licenza per la contea di Los Angeles poteva metterci un tacchino, e due banderuole con la scritta Oggi Vendita all'Asta; e provare a spiegargli mi sembrò che non valesse la pena. Ma alla fine capii perché era tutto in ghingheri, e non andava a servire in sala come al solito, e si dava quell'aria di importanza. Il greco aveva avuto una frattura al cranio, e a un poveraccio come lui cose così non capitano tutti i giorni. Era come quei gelatai bifolchi che aprono un drugstore. Appena ha in mano un foglio che dice «farmacista», con tanto di timbro rosso, il bifolco si mette un abito grigio, col gilè bordato di nero, e diventa così importante che non ha tempo di preparare le pillole, e un cono gelato non lo vuole nemmeno toccare. Questo greco era in ghingheri per la stessa ragione. Nella sua vita era accaduto un gran fatto.

Era quasi ora di cena quando mi trovai solo con lei. Nick era salito a lavarsi, e in cucina restammo noi due.

«A me ci hai pensato, Cora?».

«Sicuro. Non è che potevo dimenticarti tanto presto».

«Io ti ho pensato un sacco. Come stai?».

«Sto bene».

«Ti ho telefonato un paio di volte, ma ha risposto lui e avevo paura a parlargli. Ho fatto un po' di soldi».

«Evviva, sono contenta che te la cavi bene».

«Li ho fatti, ma poi li ho persi. Avevo pensato che potevamo usarli per metter su qualcosa, ma li ho persi».

«Soldi che vengono, soldi che vanno».

«È sicuro che a me ci pensi, Cora?».

«Come no».

«Non sembra, da come ti comporti».

«A me pare che mi comporto benissimo».

«Ce l'hai un bacio per me?».

«Fra poco si va a cena. Meglio che ti prepari, se devi darti una lavata».

E questo è quanto. Andò così tutta la sera. Il greco tirò fuori il suo vino dolce e cantò un mucchio di canzoni, e noi seduti intorno al tavolo. Lei, come se io fossi un tizio qualsiasi che una volta lavorava da loro, uno di cui sì e no ricordava il nome. Mai visto un fiasco simile, come rimpatriata.

Al momento di andare a letto loro salirono di sopra e io me ne uscii fuori a riflettere, se restare e provare a rimettermi con lei o squagliarmi e cercare di dimenticarla. Dopo un po', non so quanto, e non so quanto mi ero allontanato, ma dopo un po' sentii che in casa litigavano di brutto. Tornai indietro, e avvicinandomi mi arrivò qualcosa di quello che dicevano. Lei urlava, diceva che io dovevo andarmene. Lui borbottava non so cosa, probabilmente che voleva che restassi e tornassi a lavorare. Cercò di zittirla, ma mi resi conto che lei gridava apposta per farsi sentire da me. Se fossi stato in camera mia, come lei pensava, l'avrei sentita benissimo, e sentivo abbastanza anche là dov'ero.

Poi d'improvviso, silenzio. Scivolai in cucina e rimasi in ascolto. Niente, ero troppo scombussolato; udivo solo il battito del mio cuore, che faceva bum bum, bum bum, bum bum. Pensai che era un suono strano, e d'un tratto capii che in quella cucina di cuori ce n'erano due, ecco perché suonava strano.

Accesi la luce.

Vidi lì in piedi Cora, in una vestaglia rossa, pallida come il latte, che mi fissava con in mano un lungo coltello. Mi accostai e glielo presi. Quando parlò, fu in un bisbiglio che pareva il fruscio della lingua di un serpe.

«Perché sei tornato?».

«Dovevo».

«No che non dovevi. Mi sarei rassegnata. Stavo riuscendo a dimenticarti. E adesso hai voluto tornare. Maledetto te, hai voluto tornare!».

«Rassegnata a cosa?».

«A quello per cui sta facendo quell'album. *È per mostrarlo ai suoi figli!* E adesso ne vuole uno. Ne vuole uno subito».

«Perché non sei venuta via con me?».

«Venire con te per cosa? Per dormire nei carri merci? Perché avrei dovuto venire? Dimmelo tu».

Non seppi rispondere. Pensavo ai miei 250 dollari, ma a che serviva dirle che ieri ero in soldi, e oggi li avevo persi giocando a biliardo?

«Sei niente di buono. Lo so. Niente di buono e basta. Allora perché non te ne vai e mi lasci in pace invece di tornare qui? Perché non mi lasci perdere?».

«Ascolta. Tienilo a bada per questa faccenda del bambino, solo per un po'. Tienilo a bada, e vediamo se non si può escogitare qualcosa. Sarò poco di buono, ma ti amo, Cora. Lo giuro».

«Lo giuri e intanto cosa fai? Domani lui mi porta a Santa Barbara, per farmi dire di sì al bambino, e tu... tu vieni insieme a noi. Starai nello stesso albergo con noi! Verrai con noi in macchina. Tu...».

Si interruppe, e restammo lì a guardarci. Noi tre nella stessa macchina, sapevamo cosa voleva dire. A poco a poco ci avvicinammo, fino a toccarci.

«Oh mio Dio, Frank, per noi non c'è proprio nessun'altra via che quella?».

«Ma se un momento fa stavi per piantargli un coltello in corpo».

«No. Era per me, Frank. Non per lui».

«Cora, è destino. Abbiamo provato di tutto».

«Non voglio un figlio da quel greco, Frank. Non posso proprio. L'unico da cui potrei avere un figlio sei tu. Vorrei che tu fossi meno scombinato. Sei in gamba, ma sei niente di buono».

«Sono niente di buono, ma ti amo».

«Sì, e ti amo anch'io».

«Tienilo a bada. Solo per questa notte».

«D'accordo, Frank. Solo per questa notte».

CAPITOLO 7

«C'è un lungo sentiero che porta
nella terra che ho sognata,
dove canta l'usignolo
e splende la luna incantata.

«C'è una lunga notte d'attesa
e poi il mio sogno si avvera,
e con te per quel sentiero
andrò un giorno di primavera».

«Sono di buon umore, eh?».

«Troppo, per i miei gusti».

«Basta che non gli lasci prendere quel volante, signora. Gli passerà».

«Speriamo. Mica conviene andare in giro con un paio di ubriachi, lo so. Ma che potevo fare? Gli ho detto che con loro non ci volevo venire, ma stavano per partire da soli».

«Si sarebbero rotti l'osso del collo».

«Già. Così al volante mi ci sono messa io. Non sapevo che altro fare».

«Certe volte è un problema, saper cosa fare. Per la benzina paga uno e sessanta. L'olio è a posto?».

«Credo di sì».

«Grazie, signora. Buonanotte».

Cora salì e riprese il volante, io e il greco continuammo a cantare e si proseguì. Tutto secondo copione. Io dovevo essere ubriaco, perché l'altro tentativo mi aveva guarito dall'idea di combinare un delitto perfetto. Questo sarebbe stato un delitto così scalcinato da non essere nemmeno un delitto. Sarebbe stato un normale incidente stradale, con degli ubriachi, vino sparso in macchina eccetera. Attaccai a bere, il greco naturalmente mi fece compagnia, e si ridusse come volevo io. Ci fermammo a far benzina per avere un testimone che lei era sobria, e non avrebbe voluto venire con noi, e per lei bere non sarebbe stato il caso, visto che guidava. Prima avevamo avuto un colpo di fortuna. Quando stavamo per chiudere il locale, verso le nove, era arrivato un tale per mangiare un boccone, e lì sulla strada ci aveva visto partire. Aveva assistito a tutta la scena. Io che cercavo di mettere in moto, e mi si spegneva un paio di volte il motore; la discussione fra me e Cora, che ero troppo sbronzo per guidare; lei che scende, e dice che non vuol venire; io che riprovo a partire, solo io e il greco; poi lei che ci caccia fuori e ci fa cambiare di posto, io dietro e il greco davanti, e si mette al volante a guidare. Questo tale si chiamava Jeff Parker e allevava conigli a Encino. Cora si era fatta dare il suo biglietto da visita, dicendo che magari i conigli potevano servire per la trattoria. Sapevamo dove trovarlo, se ne avessimo avuto bisogno.

Io e il greco a cantare, una canzonetta dietro l'altra, e dopo un po' arrivammo a un cartello che diceva PER MALIBU BEACH. Qui invece di continuare per la via dritta Cora deviò. Ci sono due strade che portano alla costa. Una sta un dieci miglia nell'entroterra, ed era quella dove ci trovavamo. L'altra, che va lungo l'oceano, l'avevamo a sinistra. A Ventura le due strade si congiungono e da lì si continua seguendo il mare fino a Santa

Barbara, San Francisco e così via. L'idea era che Cora non aveva mai visto Malibu Beach, dove abitano le stelle del cinema, e voleva tagliare per l'oceano su quell'altra strada, scendere un paio di miglia per dare un'occhiata, e poi fare dietrofront e continuare per la diretta fino a Santa Barbara. L'idea vera era che quella scorciatoia era il tratto stradale peggiore della contea di Los Angeles, e un incidente da quelle parti non avrebbe stupito nessuno, neanche la polizia. È una strada buia, non c'è quasi traffico, non ci sono case né niente, e per quello che volevamo fare si prestava bene.

Il greco per un po' non fece caso a niente. Passammo vicino a un piccolo sito estivo che chiamano Malibu Lake, su tra le colline, e c'era un ballo al circolo, con delle coppiette fuori sul lago in canoa. Gridai un saluto, e così il greco. «Dalle un bacio da parte mia». Non che importasse molto, ma era un altro segno del nostro passaggio, se qualcuno si prendeva la briga di controllare.

Attaccammo il primo tratto lungo di salita, nei monti. Ce n'era per tre miglia. Avevo detto a Cora come farlo. In seconda, quasi sempre, perché ogni poco c'era una curva secca, e l'auto per imbroccarle avrebbe perso velocità, e sarebbe stato necessario ingranare la seconda comunque; ma anche perché il motore doveva riscaldarsi. Bisognava che tutto quadrasse, e ci servivano pezze d'appoggio. Poi il greco guardò fuori e vide com'era buio e che diavolo di posto erano quei monti, senza una luce, una casa, una pompa di benzina e nient'altro in vista, si riscosse e cominciò a protestare.

«Ferma, ferma. Torna indietro. Perdinci, siamo fuori strada».

«Ma no, lo so dove siamo. Ci porta a Malibu Beach. Ti ho detto che volevo vederla, non ricordi?».

«Va' piano».

«Sto andando piano».

«Più piano che puoi. Sennò capace che ci ammazziamo».

Arrivammo in cima e si cominciò a scendere. Cora spense il motore. Si scaldano presto per qualche minuto, quando si ferma il ventilatore. Giù in fondo riaccese. Guardai l'indicatore della temperatura. Segnava più di 90. Attaccammo la salita successiva, e la temperatura continuò a aumentare.

«Sissignore, sissignore».

Era il nostro segnale. Una stupidata qualsiasi, di quelle che a chiunque capita di dire, e nessuno ci bada. Cora accostò. Sotto di noi c'era un salto di almeno centocinquanta metri, non si vedeva il fondo.

«Mi sa che conviene farla freddare un po'».

«Perdinci, puoi dirlo. Frank, guarda. Guarda cosa segna».

«Cos'è?».

«Novantasei. Andrebbe in bollore tra un momento».

«E bollisca».

Presi su la chiave inglese, la tenevo tra i piedi. Ma proprio allora sulla salita vidi i fari di un'auto. Dovevo aspettare. Aspettare un minuto, che passasse.

«Dài, Nick. Cantaci una canzone».

Guardò fuori, quei calanchi dirupati, ma di cantare non sembrava aver voglia. Aprì lo sportello e scese. Lo sentimmo dare di stomaco, ed era là dietro quando passò l'auto. Guardai il numero per stamparmelo nel cervello. Poi scoppiai a ridere. Lei si voltò verso di me.

«Tranquilla. Servirà a farli ricordare. Quando sono passati eravamo vivi tutti e due».

«Hai preso il numero?».

«2R-58-01».

«2R-58-01. 2R-58-01. Bene. L'ho anch'io».

«Okay».

Nick ricomparve, con l'aria di star meglio. «Avete sentito?».

«Sentito cosa?».

«Quando hai riso. C'è l'eco. È bello».

Cacciò fuori una nota acuta. Non era una canzone, solo un acuto, come in un disco di Caruso. La troncò subito e stette in ascolto. E davvero la nota tornò, chiara e netta, e si arrestò, come aveva fatto lui.

«Suona come me?».

«Uguale, bimbo. Stesso suono preciso».

«Perdinci. Fantastico».

Rimase lì per cinque minuti, a fare acuti e ascoltarli tornare. Non aveva mai sentito come suonava la sua voce, e era contento come un gorilla che si vede la faccia nello specchio. Cora continuava a guardarmi. Bisognava decidersi. Gli parlai brusco. «Ma che diavolo, credi che vogliamo star qui tutta la notte a sentir te che ti gorgheggi addosso? Su, monta. Muoviamoci».

«Si fa tardi, Nick».

«Ok-kay, ok-kay».

Salì, ma ficcò la testa fuori dal finestrino e lanciò un altro grido canoro. Puntai i piedi, e mentre aveva ancora il mento sullo spigolo vibrai la chiave. Gli sfondai la testa, la sentii scricchiolare. Si piegò sul sedile, aggomitolato come un gatto sul sofà. Sembrò un anno prima che rimanesse immobile. Poi Cora ebbe uno strano singulto che finì in un gemito. Perché adesso arrivò l'eco della sua voce. Una nota acuta, che crebbe, e si arrestò, in attesa.

CAPITOLO 8

Non dicemmo una parola. Lei sapeva cosa fare. Passò dietro, e io davanti. Guardai la chiave alla luce del cruscotto. C'erano gocce di sangue. Stappai una bottiglia di vino e lo versai sopra, per togliere il sangue. Versai in modo che il vino gli andasse addosso. Poi asciugai la chiave sul suo vestito, dove non era bagnato, e la passai dietro a Cora, che la mise sotto il sedile. Versai altro vino dove avevo strofinato la chiave, spaccai la bottiglia contro lo sportello e la posai su di lui. Misi in moto. Dalla crepa della bottiglia uscì un filo di vino, gorgogliando.

Andai per un tratto e ingranai la seconda. L'auto non potevo farla precipitare da dove eravamo, in quello sprofondo. Dopo dovevamo scendere giù anche noi, e inoltre, con una caduta simile, com'è che saremmo stati ancora vivi? Guidai adagio, in seconda, fin su a un posto dove il burrone faceva un rialzo e il salto era solo di una quindicina di metri. Arrivato là portai l'auto sull'orlo, misi il piede sul freno, e diedi gas con l'acceleratore a mano. Appena la ruota anteriore destra andò fuori pigiai forte sul freno. Il motore si spense. Come volevo. L'auto doveva avere la marcia ingranata e l'accensione inserita, ma col motore spento sarebbe rimasta bloccata per il tempo che ci serviva.

Uscimmo, mettendo i piedi sulla strada, non sul margine, per non lasciare impronte. Cora mi passò una pietra e un pezzo di travicello che avevo nel portabagagli. Misi la pietra sotto il ponte posteriore; ci stava, perché l'avevo scelta giusta. Infilai il travicello tra la pietra e il ponte e feci leva. L'auto si inclinò, ma senza spostarsi. Provai di nuovo; si inclinò un altro po'. Cominciai a sudare. Eccoci con un morto nella macchina, e se non riuscivamo a scaricarla giù?

Tornai a far leva, e stavolta ci si mise anche lei. Spingemmo, una, due volte. E tutt'a un tratto ci ritrovammo sulla strada lunghi distesi, e l'auto rotolò di sotto, giù nel burrone, con un fracasso da sentirlo un miglio lontano.

Si arrestò. I fari erano ancora accesi, ma non aveva preso fuoco. Il pericolo grosso era quello. Se l'auto si incendiava, perché non eravamo bruciati anche noi? Gettai la pietra nel precipizio, e col travicello corsi per un tratto e lo buttai in mezzo alla strada. Di quello non mi preoccupavo. Sulle strade, dovunque vai, ci sono pezzi di legno caduti dai camion, e le macchine ci passano sopra e li schiantano. Il mio legno lo avevo lasciato fuori tutto il giorno, e aveva i segni delle gomme, e gli orli tutti smangiati.

Tornai indietro di corsa, la presi in braccio e scivolai giù nel dirupo con lei. La portai in braccio per via delle tracce. Le tracce mie non erano un problema. Mi figuravo che tra poco sarebbero scesi in tanti, giù per di là, ma quei suoi tacchi a punta dovevano essere rivolti nella direzione giusta, se qualcuno si dava la briga di controllare.

La misi giù. L'automobile stava in bilico, su due ruote, a metà dirupo. Lui era ancora là dentro, ma adesso era finito sul pavimento. La bottiglia era incastrata fra lui e il sedile, e mentre guardavamo ne uscì un fiotto di vino. Il tetto era sfondato, i parafanghi sbilenchi. Provai gli sportelli. Erano essenziali, io dovevo entrare nell'auto, e tagliarmi coi vetri, mentre lei saliva su alla strada a cercare aiuto. Si aprivano.

Cominciai a brancicarle la camicetta, a strappare i bottoni, perché lei apparisse malconcia. Mi guardava, e i suoi occhi non parevano azzurri, parevano neri. La sentivo ansimare. Poi smise, e si strinse a me.

«Stracciami! Stracciami!».

La stracciai. Ficcai la mano nella camicetta, la squarciai con uno strattone, aperta dalla gola al ventre.

«Questo te lo sei fatto per uscire dall'auto, ti si è impigliata nella maniglia dello sportello».

La mia voce suonò strana, come se venisse da un grammofono scassato.

«E questo non sai come te lo sei fatto».

Le diedi un pugno in un occhio, forte. Cadde. Era lì ai miei piedi, col viso acceso, i seni tremanti irrigiditi in punta, ritti verso di me. Era lì a terra, e in gola il fiato mi rombava come fossi non so che animale, e mi sentivo in bocca la lingua gonfia, il sangue che batteva.

«Sì! Sì, Frank, sì!».

Mi ritrovai giù a terra con lei, e ci guardavamo negli occhi, avvinghiati l'uno all'altra, stretti. Si fosse spalancato l'inferno, non mi sarebbe importato niente. Dovevo averla, mi costasse la vita.

La presi.

CAPITOLO 9

Restammo lì stesi, poi, come drogati. C'era un silenzio che si sentiva quel gocciolio, dentro la macchina.

«E adesso, Frank?».

«Sarà dura. Dovrai essere brava. Sei sicura di farcela?».

«Qualunque cosa, dopo questo».

«Ti daranno addosso, gli sbirri. Cercheranno di farti saltare i nervi. Sei pronta?».

«Credo di sì».

«Forse ti metteranno sotto accusa. Non credo che possano, con i testimoni che abbiamo. Ma forse lo faranno. Potresti essere condannata per omicidio colposo, e stare un anno in galera, perfino. Il rischio c'è. Pensi di reggere?».

«Se sarai lì a aspettarmi, quando esco».

«Ci sarò».

«Allora posso farcela».

«A me non badare. Sono ubriaco. Risulterà, dagli esami che fanno. Dirò delle cose sballate, per confonderli, così quando da sobrio la racconterò a modo mio ci crederanno».

«Me lo ricorderò».

«E ce l'hai su con me. Perché ero ubriaco. E sono stato la causa di tutto».

«Sì. Lo so».

«Allora siamo pronti».

«Frank».

«Sì?».

«C'è solo una cosa. Bisogna che ci amiamo. Se ci amiamo, il resto non conta».

«Tu che dici?».

«Dico che lo dico io per prima. Ti amo, Frank».

«Ti amo, Cora».

«Baciami».

La baciai, e la strinsi, e poi vidi un barbaglio di luce sulla collina, di là dal burrone.

«Va' su alla strada, adesso. Per l'ultima parte».

«L'ultima parte».

«Chiedi soltanto aiuto. Non sai ancora che lui è morto».

«D'accordo».

«Sei caduta, dopo essere uscita dall'auto. Per questo hai la sabbia sul vestito».

«Sì. Addio».

«Addio».

Andò su, e io mi buttai alla macchina. Ma a un tratto mi accorsi che non avevo il cappello. Io dovevo trovarmi nell'auto, e il cappello dovevo averlo con me. Mi misi a cercare, tastoni. L'auto sulla strada si avvicinava, era solo a due o tre curve di distanza, e io ero senza cappello, e senza un graffio addosso. Rinunciai, mi accostai alla macchina, e caddi. Mi si era incastrato il piede, nel cappello. Lo acciuffai e saltai dentro. Sentii il pavimento andar giù sotto il peso, e l'auto che mi ribaltava addosso. E fu l'ultima cosa di cui fui cosciente, per un po'.

Ero steso per terra, e intorno c'era baccano, grida, discorsi. Il braccio sinistro mi faceva un male cane, mi veniva da urlare appena lo muovevo, e la schiena anche. In testa avevo un frastuono che andava e veniva, e a tratti sentivo un vuoto, mi mancava il terreno, e la roba che avevo bevuto mi tornava su. C'ero e non c'ero, ma ebbi il barlume di voltolarmi, e scalciare. Anche sul mio vestito c'era sabbia, e ci voleva una ragione.

Poi uno stridio nelle orecchie, ero su un'ambulanza. Un agente era seduto da piedi e un dottore trafficava col mio braccio. Guardai e svenni di nuovo. Colava sangue, e tra il gomito e il polso era curvo come un fuscello piegato. Era rotto. Quando rinvenni il dottore era ancora al lavoro, e pensai alla mia schiena. Provai a muovere il piede, per vedere se ero paralizzato. Si muoveva.

Lo stridio continuava a riscuotermi, girai la testa e vidi il greco. Era sull'altro lettino.
«Ehi, Nick».
Nessuno disse niente. Guardai ancora in giro, ma Cora non la vidi.

Dopo un po' si fermarono, e tirarono fuori il greco. Aspettai che prendessero anche me, ma no. Allora capii che era proprio morto, e stavolta non ci sarebbe stato bisogno di contargli storie balorde, di gatti o altro. Se ci avessero presi tutti e due, era l'ospedale. Ma visto che avevano preso solo lui, era l'obitorio.

Proseguimmo, l'ambulanza si fermò di nuovo e mi scaricarono. Mi portarono dentro, mi misero su una lettiga a rotelle e mi spinsero in una stanza bianca. Poi si prepararono a aggiustarmi il braccio. Accostarono un apparecchio per darmi l'etere, ma ci fu una discussione. Adesso c'era un altro dottore, il medico legale, disse, e quelli dell'ospedale si irritarono. Capii di cosa si trattava. Era per via degli esami se uno ha bevuto. Se prima mi davano il gas, avrebbe guastato l'esame dell'alito, quello più importante. La spuntò il medico legale, e mi fece soffiare con un tubo di vetro in un liquido che sembrava acqua ma quando soffiai diventò giallo. Poi prese un po' di sangue, e altri campioni che versò in certe bottigliette, con un imbuto. Dopo mi diedero il gas.

Quando cominciai a riavermi ero in una stanza, a letto, e avevo la testa fasciata e fasciato il braccio, con una benda a armacollo per giunta, e la schiena incerottata in modo che quasi non mi potevo muovere. C'era un poliziotto, e leggeva il giornale del mattino. La testa mi faceva un male cane, e la schiena anche, e nel braccio avevo delle fitte dolorose. Dopo un po' arrivò un'infermiera e mi diede una pillola, e mi addormentai.

Mi svegliai verso mezzogiorno. Mi diedero da mangiare. Poi entrarono altri due poliziotti. Mi misero di nuovo su una barella, mi portarono giù e mi caricarono su un'altra ambulanza.

«Dove andiamo?».

«All'inchiesta».

«Inchiesta. È quello che fanno quando ci sono dei morti, no?».

«Già».

«Me l'immaginavo, che ci sono rimasti».

«Solo uno».

«Chi?».

«L'uomo».

«Ah. E la donna, è ferita grave?».

«No, non grave».

«Io sono messo abbastanza male, eh?».

«Senta, amico. A noi sta bene, se ha voglia di chiacchierare, ma tutto quello che dice può ricaderle addosso quando va in tribunale».

«Giusto. Grazie».

L'ambulanza si fermò davanti a un'agenzia funebre di Hollywood, e mi portarono dentro. Cora era là, parecchio sottosopra. Aveva indosso una blusa che le aveva prestato una poliziotta, e le faceva un rigonfio sulla pancia come fosse imbottita di fieno. Il vestito e le scarpe erano impolverate, e l'occhio, dove l'avevo colpita, era tumefatto. Con lei c'era la poliziotta. Dietro a un tavolo sedeva il coroner, con a fianco un segretario o che so io. Da una parte c'era una mezza dozzina di tizi con la faccia ingrugnata, sorvegliati dagli sbirri. Era la giuria. Poi c'erano altre persone, e stavano in piedi dove gli agenti gli dicevano di stare. L'impresario delle pompe funebri girava in punta di piedi, e ogni tanto ficcava una sedia dietro a qualcuno. Ne portò un paio per Cora e la poliziotta. Da un lato, su un tavolo, c'era qualcosa sotto a un lenzuolo.

Appena mi ebbero parcheggiato dove volevano, su un altro tavolo, il coroner tamburellò con la matita e si cominciò. Per prima cosa c'era l'identificazione. Cora, quando alzarono il lenzuolo, si mise a piangere, e neanche a me piacque molto. Guardò, guardai io, guardò la giuria, e ricoprirono.

«Conosce quest'uomo?».

«Era mio marito».

«Nome?».

«Nick Papadakis».

Vennero i testimoni. Il sergente disse che ricevuta la chiamata aveva telefonato per un'ambulanza e era andato su di là con due agenti; aveva fatto salire Cora su un'auto di passaggio e caricato me e il greco in ambulanza, e il greco era morto durante il trasporto e l'aveva lasciato all'obitorio. Poi venne un campagnolo di nome Wright e raccontò che svoltando da una curva aveva sentito una donna gridare, e un fracasso, e aveva visto l'auto rotolare giù nel burrone, con i fari ancora accesi. Aveva visto Cora sulla strada che gesticolava, e era sceso con lei nel dirupo fino all'auto, e cercato di tirar fuori me e il greco. Non c'era riuscito, perché l'auto ci stava sopra, così aveva mandato il fratello, che viaggiava con lui, a cercare aiuto. Dopo un po' era arrivata gente, e la polizia, e i poliziotti avevano spostato la macchina e ci avevano caricato nell'ambulanza. Il fratello di questo Wright disse più o meno le stesse cose, solo che era andato a chiamare la polizia.

Poi il medico legale disse che io ero ubriaco, e dall'esame dello stomaco risultava che il greco anche; Cora invece non aveva bevuto. Disse per quale frattura ossea il greco era morto. Poi il coroner si rivolse a me e chiese se volevo testimoniare.

«Sì, signore, penso di sì».

«La avverto che le sue dichiarazioni potranno essere usate contro di lei, e che lei non è obbligato a testimoniare. Solo se lo desidera».

«Non ho niente da nascondere».

«D'accordo, allora. Cosa sa di questa faccenda?».

«So solo che prima stavo andando, e poi ho sentito l'auto che sprofondava. Ho preso una botta, e finché sono rinvenuto in ospedale non ricordo altro».

«*Lei* stava andando?».

«Sì signore».

«Intende dire che guidava lei?».

«Sì signore, l'auto la guidavo io».

Era solo una storia sballata che mi sarei rimangiato più tardi, quando fossimo arrivati dove importava davvero, non come quell'inchiesta. Mi immaginavo che se prima dicevo una balla, e poi cambiavo e raccontavo un'altra storia, quest'altra storia sarebbe sembrata vera, mentre se me ne uscivo subito con una versione troppo liscia avrebbe fatto l'effetto di quello che era, una storia preparata. Diversamente dall'altra volta, volevo mettermi in cattiva luce fin dall'inizio. Ma se a guidare non ero stato io, poco importava in che luce mi mettevo, non potevano farmi niente. Quello di cui avevo paura era l'idea del delitto perfetto, che la volta prima ci era andata buca, e sarebbe bastato uno sbaglio da niente per rovinarci. Qui invece, se figuravo male, margine per sbagliare ce n'era, e non sarei figurato molto peggio. Più mi davo la zappa sui piedi riguardo all'ubriachezza, e meno tutta la faccenda avrebbe avuto l'aria di un delitto.

Gli agenti si guardarono l'un l'altro, e il coroner mi studiò come se pensasse che ero matto. Sapevano perfettamente che mi avevano tirato fuori da sotto il sedile posteriore.

«Lei è sicuro? Che era lei a guidare?».

«Sicurissimo».

«Aveva bevuto?».

«Nossignore».

«Ha sentito i risultati delle analisi che le hanno fatto?».

«Di analisi non so niente. So solo che non avevo bevuto un goccio».

Si rivolse a Cora. Lei dichiarò che avrebbe detto tutto quello che poteva.

«Chi guidava l'automobile?».

«Io».

«Quest'uomo dov'era?».

«Sul sedile dietro».

«Aveva bevuto?».

Cora abbassò gli occhi, inghiottì, e pianse un po'. «Devo rispondere?».

«Non deve rispondere a nessuna domanda, se non vuole».

«Preferisco non rispondere».

«Benissimo, dunque. Dica lei cosa è successo, con parole sue».

«Stavo guidando. C'era una salita lunga, e il motore si è scaldato. Mio marito disse che era meglio fermarci e farlo raffreddare».

«Scaldato quanto?».

«Più di 90».

«Continui».

«Così quando abbiamo cominciato la discesa ho spento il motore. Arrivati in fondo era ancora caldo, e prima di riprendere a salire ci siamo fermati. Siamo rimasti lì una decina di minuti. Poi sono ripartita, e non so cosa è successo. Sono andata su con le marce ma non ce la faceva e ho messo la seconda, in fretta, e gli uomini chiacchieravano o forse è stato per via del cambio brusco, ma insomma ho sentito l'auto andare giù da un lato. Gli ho gridato di saltare, ma era troppo tardi. Ho sentito che l'auto pendeva sempre più e ho cercato di uscire, e poi so che mi sono trovata fuori, sulla strada».

Il coroner si rivolse di nuovo a me.

«Che cosa cerca di fare, vuole coprire questa donna?».

«Mi pare che lei non mi copre per niente».

I giurati uscirono e tornarono col verdetto. Diceva che Nick Papadakis era morto in seguito a incidente automobilistico sulla strada di Malibu Lake, causato in tutto o in parte da comportamento criminoso mio e di Cora; e raccomandava che fossimo detenuti per comparire davanti al gran giurì.

Quella notte con me in ospedale c'era un altro agente, e al mattino mi disse che sarebbe venuto a trovarmi il signor Sackett, meglio che mi preparassi. Io ancora riuscivo appena a muovermi, ma chiesi al barbiere dell'ospedale di radermi e di farmi più bello che poteva. Sapevo chi era Sackett, era il procuratore distrettuale. Arrivò verso le dieci e mezza. L'agente uscì e restammo soli noi due. Era un tipo grande e grosso, con la testa pelata e un certo fare scherzoso.

«Bene bene bene. Come ti senti?».

«Mi sento okay, giudice. Un po' balordo, ma passerà».

«Come disse quel tale caduto dall'aeroplano, splendido volo ma l'atterraggio è stato un colpo».

«Ecco».

«Allora, Chambers. Non sei obbligato a far due chiacchiere con me se non ne hai voglia, ma io sono venuto un po' per vedere che faccia hai e un po' perché so per esperienza che una bella chiacchierata a cuore aperto fa risparmiare parecchio fiato in seguito, e a volte spiana la via all'impostazione migliore per tutti, in una causa. E comunque, come dice un mio amico, dopo ci si capisce meglio a vicenda».

«Senz'altro, giudice. Cos'è che voleva sapere?».

Lo dissi con una certa aria scaltra. Lui stava lì seduto e mi osservava. «Se cominciassimo dal principio, per esempio?».

«Riguardo a quella gita?».

«Appunto. Raccontami tutto».

Si alzò e si mise a girellare per la stanza. Avevo la porta proprio di fianco al letto, e la aprii con una manata. Il poliziotto stava in là nel corridoio, a discorrere con un'infermiera. Sackett scoppiò a ridere. «No, niente registratori, qui. E poi non li usano mica, solo al cinema».

Mi dipinsi sulla faccia un sorrisetto imbarazzato. Andava come volevo. Lo avevo infinocchiato, con una mossa scema, e lui pensava di aver avuto la meglio. «Okay, giudice. Era una stupidaggine, del resto. D'accordo, comincerò dal principio e le racconto tutto. Sono nei guai, mi rendo conto, ma penso che a mentire non ci guadagno niente».

«È l'atteggiamento giusto, Chambers».

Gli dissi che avevo mollato il greco, e poi un giorno per caso l'avevo incontrato per strada, e voleva che tornassi da lui, e mi aveva chiesto di fare questa gita a Santa Barbara con loro, per parlarne. Raccontai che avevamo bevuto, e eravamo partiti, con me al volante. A questo punto mi fermò.

«Dunque eri tu a guidare?».

«Giudice, mi dica lei».

«Come sarebbe, Chambers?».

«Sarebbe che ho sentito cosa ha detto Cora, all'inchiesta. Ho sentito cosa hanno detto gli agenti. So dove mi hanno trovato. Sicché lo so chi guidava, sicuro. Guidava Cora. Ma se la racconto come la ricordo, devo dire che a guidare ero io. Al coroner non ho mentito, giudice. *A me sembra ancora che l'auto ero io a guidarla*».

«Hai mentito sul fatto del bere».

«È vero. Tra il vino e l'anestetico e le pillole che ti danno ero pieno di roba e ho mentito. Ma adesso sto bene, e non sono tanto stupido da non capire che da questo pasticcio, se posso venir fuori, è solo dicendo la verità. Certo, ero ubriaco. Ero sbronzo cotto. E ho pensato solo che non dovevo dirlo, che ero sbronzo, perché col fatto che guidavo, se scoprivano che ero sbronzo addio».

«È questo che diresti a una giuria?».

«Per forza, giudice. Ma una cosa non riesco a capire, com'è che a guidare si è trovata Cora. Quando siamo partiti al volante c'ero io. Lo so di sicuro. Ricordo anche un tizio che stava lì e rideva di me. Allora com'è che quando l'auto è andata di sotto guidava Cora?».

«Tu hai guidato per due metri».

«Vuole dire due miglia».

«Voglio dire due metri. Poi lei ti ha tolto il volante».

«Accidenti, dovevo essere proprio fatto».

«È una di quelle cose che una giuria ci potrebbe credere. Ha quel tanto di strambo che in genere c'è nelle cose vere. Sì, ci potrebbero credere».

Stava lì a guardarsi le unghie, e io faticavo a impedirmi di ghignare. Fui contento quando ricominciò a farmi domande, perché così potevo pensare ad altro, e non solo a com'era stato facile dargliela a bere.

«Quando sei andato a lavorare per Papadakis, Chambers?».

«L'inverno scorso».

«E quanto ci sei rimasto, con lui?».

«Fino a un mese fa. Sei settimane, forse».

«Dunque hai lavorato per lui un sei mesi?».

«Più o meno».

«E prima cosa facevi?».

«Be', andavo in giro».

«Con l'autostop? Sui carri merci? Scroccando da mangiare dove potevi?».

«Sì, signore».

Aprì una cartella, posò un fascio di carte sul tavolo e si mise a sfogliarle. «Mai stato a San Francisco?».

«Ci sono nato».

«Kansas City? New York? New Orleans? Chicago?».

«Le ho viste tutte».

«Mai stato in carcere?».

«Sì, giudice. Ogni tanto capita, girando il mondo, di avere guai con la polizia. Sissignore, sono stato in carcere».

«Mai stato in carcere a Tucson?».

«Sì, signore. Credo di averci fatto una decina di giorni. Per accesso abusivo a un treno».

«Salt Lake City? San Diego? Wichita?».

«Sì, signore. In tutti quei posti».

«Oakland?».

«Lì mi sono fatto tre mesi, giudice. Per una lite con un ispettore ferroviario».

«L'hai pestato di brutto, vero?».

«Be', come disse lui, di botte gliene ho date. Ma avrebbe dovuto vedere me. Ero bello pesto anch'io».

«Los Angeles?».

«Una volta. Ma solo tre giorni».

«Chambers, com'è che ti sei messo a lavorare per Papadakis, comunque?».

«Puro caso. Ero al verde, e lui aveva bisogno di qualcuno. Sono capitato là per mangiare un boccone, lui mi ha offerto un lavoro, e l'ho preso».

«Chambers, non ti pare curioso?».

«Che vuol dire, giudice? Non capisco».

«Non è curioso che dopo aver bighellonato per anni, senza far niente, e senza neanche cercare un lavoro, per quanto ne so, tutt'a un tratto ti dai una regolata e ti piazzi in un posto, con un lavoro fisso?».

«Non è che mi piacesse molto, questo lo devo ammettere».

«Ma ci sei rimasto».

«Nick era un brav'uomo, uno dei meglio che ho conosciuto. Dopo un po' che ero lì volevo dirgli che ne avevo basta, ma mi è mancato il coraggio, aveva già avuto tanti guai con i garzoni. Poi quando ebbe quell'incidente e stava via sono scappato. Sono scappato, ecco qua. Mi sa che avrei dovuto trattarlo meglio, ma ho i piedi vagabondi, giudice, e quando dicono vai bisogna che vada. Me la sono battuta alla chetichella».

«E poi sei tornato, e il giorno dopo lui è morto».

«Giudice, adesso mi fa venire i rimorsi. Perché magari non lo dirò alla giuria, ma a lei lo dico, mi sento che la colpa è stata mia, parecchio. Se quel giorno non c'ero io, a fargli venir voglia di bere, forse Nick sarebbe ancora qui. Intendiamoci, può darsi che questo non c'entri per niente. Non lo so. Ero sbronzo, e non so cosa è successo. Però, se non avesse avuto due ubriachi in macchina forse Cora avrebbe guidato meglio, no? Su questa faccenda è così che mi sento, comunque».

Gli diedi un'occhiata, per vedere come la prendeva. Non mi guardava nemmeno. D'improvviso saltò su, si accostò al letto e mi abbrancò una spalla. «Tira fuori, Chambers. Perché sei rimasto sei mesi con Papadakis?».

«Non capisco, giudice».

«Ma sì che capisci, Chambers. L'ho vista quella donna, e ci vuol poco a indovinare perché l'hai fatto. Ieri è venuta al mio ufficio, e aveva un occhio nero e era abbastanza malmessa, ma con tutto questo, una donna coi fiocchi. Per una così sai quanti hanno detto addio alla strada, piedi vagabondi o no».

«Ma io ci sono tornato, sulla strada. No, giudice, si sbaglia».

«Non ci sei tornato per molto. Troppo facile, Chambers. Ecco un incidente automobilistico che ieri era un caso lampante di omicidio colposo, e oggi è svaporato in niente del tutto. Dovunque mi giro spunta un testimone che mi racconta qualcosa, e quando metto insieme quello che dicono mi trovo con un pugno di mosche. Avanti, Chambers. Tu e quella donna il greco l'avete ammazzato, e prima lo confessi meglio è».

A questo punto, vi assicuro, non mi veniva più da ghignare. Mi sentivo le labbra intorpidite. Cercai di parlare, ma non mi uscì un fiato di bocca.

«Allora, non hai niente da dire?».

«Lei mi sta dando addosso. Mi sta dando addosso di brutto. Non so cosa dire, giudice».

«Un momento fa eri tanto loquace, quando mi spifferavi che solo la verità ti avrebbe cavato d'impiccio. Adesso perché non riesci a parlare?».

«Mi ha confuso».

«Va bene, prendiamo una cosa per volta, così non ti confondi. Primo punto, con quella donna ci sei andato a letto, vero?».

«Neanche per idea».

«E la settimana che Papadakis era all'ospedale? Tu dove hai dormito?».

«In camera mia».

«E lei nella sua? Andiamo. L'ho vista, ti dico. Io sarei entrato da lei a costo di sfondare la porta e di finire sulla forca per violenza carnale. Così avresti fatto tu. Così *hai fatto* tu».

«Non mi è nemmeno passato per la mente».

«E quei viaggetti con lei a Glendale, al mercato? Cosa facevi con lei, tra andata e ritorno?».

«Me lo diceva Nick, di andare anch'io».

«Non ti ho chiesto chi ti diceva di andare. Ti ho chiesto cosa facevi».

Ero stordito, dovevo reagire in qualche modo, subito. Mi arrabbiai, non mi venne in mente altro. «Va bene, supponiamo che ce la intendessimo. Non è vero, ma lei giudice dice di sì, e prendiamola per buona. Be', se era così facile fare il comodo nostro, perché avremmo dovuto toglierlo di mezzo? Dio santo, giudice, ho sentito di gente che uccide per avere quello che a sentir lei avevo io, ma mai di uno che uccide quando ce l'ha già».

«No? Allora ti dirò che motivo c'era di toglierlo di mezzo. Intanto il locale, che Papadakis aveva comprato per 14 000 dollari, pagati sull'unghia. E poi quell'altro regaluccio di Natale che tu e lei pensavate di portarvi in barca, per navigare meglio. *Quella piccola polizza infortuni accesa da Papadakis, di 10 000 dollari*».

Distinguevo ancora la sua faccia, ma intorno era tutto nero. Cercai di non afflosciarmi sul letto. Vidi Sackett porgermi un bicchiere d'acqua. «Bevi, ti sentirai meglio».

Bevvi un sorso. Ne avevo bisogno.

«Chambers, credo che per un pezzo non metterai mano ad altri omicidi, ma se mai ci riprovi, per l'amor di Dio non tirare in ballo le compagnie d'assicurazione. Per un dollaro che la contea di Los Angeles mi dà da spendere in un processo, loro ne spendono cinque. Hanno detective cinque volte più bravi di quelli che posso assumere io. Conoscono il mestiere dall'A alla Z, e adesso ti stanno alle calcagna. Sono soldi, per loro. È qui che avete sbagliato di grosso, tu e la tua amica».

«Giudice, mi venga un colpo se ho mai saputo niente di una polizza prima di questo momento».

«Sei diventato bianco come un lenzuolo».

«Lei no, al posto mio?».

«Bene, che ne diresti di avermi dalla tua, fin da subito? Confessi tutto, ti dichiari colpevole, e in tribunale farò quello che posso per te. Chiederò clemenza per tutti e due».

«Non se ne parla proprio».

«E i discorsi che mi facevi un minuto fa? Sulla verità, su come dovrai essere sincero con la giuria, eccetera? Credi di potertela cavare con qualche frottola, a questo punto? Credi che lascerò correre?».

«Non so cosa farà. Al diavolo, lei dirà la sua e io la mia. Non ho fatto niente, e più di questo non posso dire. Chiaro?».

«Al diavolo, eh. Fai il duro con me? Va bene, apri le orecchie tu, adesso. Ti dico io cosa sentirà la giuria. Primo, con quella donna ci facevi l'amore, vero? Poi Papadakis ha avuto un piccolo incidente, e tu e lei vi siete dati alla pazza gioia. A letto insieme la notte, giù alla spiaggia di giorno, e mano nella mano e a guardarvi negli occhi. E vi viene una splendida idea: fargli fare una polizza contro gli infortuni, dopo quell'incidente, e poi farlo fuori. Così tu tagli la corda, per darle modo di combinare la cosa. Lei se lo lavora per bene, e non ci mette molto a convincerlo. Il greco sottoscrive una polizza, un'ottima polizza, che copre infortuni, salute e tutto quanto, e gli costa 46 dollari e 72. A questo punto siete pronti. Due giorni dopo, guarda caso, Frank Chambers incontra per strada Nick Papadakis, e Nick lo prega di tornare a lavorare per lui. E vedi un po', Nick e la moglie hanno già stabilito di fare un viaggetto a Santa Barbara, e prenotato l'albergo e tutto, e naturalmente Frank Chambers deve andare con loro, in nome dei vecchi tempi. E tu vai. Fai ubriacare un po' il greco, e bevi anche tu la tua parte. Ficchi un paio di bottiglie nell'auto, per far contenta la polizia. E poi prendete per quella strada di Malibu Lake, perché lei, Cora, vuol vedere la Malibu Beach. Che idea, però. Le undici di sera, e lei vuole andare laggiù per vedere quattro case con le onde davanti. Ma là non ci arrivate. Vi fermate. E durante la sosta tu spacchi la testa al greco con una bottiglia. Bell'arnese, Chambers, da dare in testa, e nessuno lo sapeva meglio di te, perché l'avevi già usato con quel tizio delle ferrovie, a Oakland. Tu dai la botta, e lei mette in moto. E mentre lei esce sul predellino, tu da dietro ti allunghi e reggi il volante, e dai gas con l'acceleratore a mano. Di gas ne basta poco, perché l'auto è in seconda. Poi il volante lo prende lei, dal predellino, e tiene l'acceleratore, e tocca a te uscir fuori. Ma tu sei un po' sbronzo, no? Ti muovi a rilento, e lei è troppo svelta a far cadere l'auto di sotto. Sicché lei salta, e tu resti intrappolato. Pensi che la giuria non crederà che sia andata così? Ci crederà, perché io dimostrerò tutto punto per punto, dalla gita alla spiaggia all'acceleratore a mano, e allora per te non ci sarà clemenza, ragazzo. Ci sarà la corda, con te appeso a un capo, e quando ti tireranno giù ti seppelliranno insieme a tutti gli altri imbecilli che non hanno voluto venire a patti quando potevano salvarsi il collo».

«Non è andata affatto così. Per quel che ne so io».

«Cosa stai cercando di dirmi? Che ha fatto tutto *lei*?».

«Sto cercando di dirle che nessuno ha fatto un bel niente. Non è andata affatto così».

«Come fai a saperlo? Non eri sbronzo?».

«Non è andata così, per quel che ne so».

«Vuoi dire che è stata lei?».

«No, accidenti, non voglio dire niente del genere. Voglio dire quello che dico e basta».

«Ascolta, Chambers. Nell'auto c'erano tre persone, tu, lei e il greco. Il greco non è stato, poco ma sicuro. Se non sei stato tu, rimane lei, ti pare?».

«Ma chi lo dice, che è stato qualcuno?».

«Lo dico io. Adesso si comincia a ragionare, Chambers. Perché forse non sei stato tu. Dici di non avermi raccontato bugie, e forse è così. Ma se stai dicendo la verità, e questa donna per te era solo la moglie di un amico, e non ti interessava diversamente, allora devi fare qualcosa, non credi? Devi firmare una denuncia contro di lei».

«Come sarebbe, una denuncia?».

«Se ha ucciso il greco, ha cercato di uccidere anche te, no? Non puoi lasciare che la faccia franca. Sembrerebbe strano, se tu facessi finta di niente, e certo saresti un bel fesso a mandargliela liscia. Lei ammazza il marito per l'assicurazione e cerca di ammazzare anche te. Devi fare qualcosa, no?».

«Forse, se fosse così. Ma non è, per quanto ne so».

«Se te lo provo la firmeresti, la denuncia?».

«Certo. *Se* me lo prova».

«Va bene, ecco qua. Quando vi siete fermati tu sei sceso dall'auto, vero?».

«No».

«Come? Credevo che non ricordassi niente, da quanto eri sbronzo. È la seconda volta che ti ricordi qualcosa. Mi sorprendi».

«Non ricordo di essere sceso».

«Ma sei sceso. C'è questa testimonianza, ascolta: "Dell'auto non ho notato molto, salvo che c'era una donna al volante e dentro un uomo che rideva, quando siamo passati, e un altro stava fuori, dietro, e dava di stomaco". Dunque tu sei uscito per qualche minuto, perché stavi male. È stato allora che lei ha colpito Papadakis con la bottiglia. E quando sei rientrato non ti sei accorto di niente, perché eri sbronzo, e Papadakis era tramortito, ma come potevi accorgertene. Ti sei seduto dietro e sei svenuto, ed è stato allora che lei ha ingranato la seconda, ha dato gas con l'acceleratore a mano, e appena scivolata fuori sul predellino ha mandato l'auto giù di sotto».

«E la prova dov'è?».

«C'è, la prova. Il teste Wright dice che quando lui è sbucato dalla curva l'auto stava rotolando giù per il burrone, *ma la donna era sulla strada, e gesticolava per chiedere aiuto!*».

«Poteva essere saltata via».

«Se è saltata, curioso che abbia preso la borsetta con sé, no? Chambers, una donna può guidare con la borsetta in mano? Ha tempo di prenderla, quando salta fuori? Non si può fare, Chambers. È impossibile saltare via da una berlina che rotola in un burrone. Lei non era nell'auto, quando è andata di sotto! Mi pare che basti, come prova».

«Non so».

«Che significa, non so? Vuoi firmare questa denuncia o no?».

«No».

«Ascolta, Chambers, non è stato un caso se l'auto è precipitata un attimo troppo presto. La scelta era tu o lei, e lei non intendeva che fossi tu».

«Mi lasci in pace. Non so di cosa parla».

«Ragazzo, si tratta ancora di tu o lei. Se tu non hai avuto niente a che fare con questa faccenda, è meglio che firmi la denuncia. Altrimenti saprò come regolarmi. E lo saprà anche la giuria, e il giudice. E l'uomo che manovra la botola».

Mi guardò a lungo, poi uscì e tornò con un altro tizio. Il tizio si sedette e riempì un modulo con la stilografica. Sackett me lo passò. «Qui, Chambers».

Firmai. Mi sudava talmente la mano che il tizio dovette asciugare il bagnato dal foglio.

CAPITOLO 10

Andati via loro rientrò l'agente, e borbottò qualcosa su una partita a ventuno. Giocammo per un po', ma non riuscivo a far mente locale. Dissi che mi scocciava dare le carte con una mano sola, e smisi.

«Ti ha messo strizza, eh?».

«Un tantino».

«È un tipo tosto, quello. Mette paura a tutti. Sembra un santocchio, pieno d'amore per il genere umano, ma ha un cuore che è un sasso».

«Un sasso, già».

«Qui da noi c'è solo uno che la spunta, con lui».

«Sì?».

«Si chiama Katz. L'avrai sentito nominare».

«Certo».

«È amico mio».

«Fa comodo, un amico così».

«Ascolta. Adesso come adesso un avvocato non ti occorre, in teoria. Non sei sotto accusa, e non puoi chiamare nessuno. Ti possono tenere in segregazione, si dice così, per quarantotto ore. Ma se lui capitasse qui non posso impedirgli di vederti, chiaro? E c'è caso che capiti, se gli do una voce».

«E se lui ti dà la tua parte, si capisce».

«Si capisce, è amico mio. Sennò che amico sarebbe? Senti, è un fenomeno. In questa città c'è solo lui, che può fare la cravatta a Sackett».

«Ci sto. E prima è meglio è».

«Vado e torno».

Uscì e stette via una mezz'ora, e quando tornò mi fece l'occhiolino. E dopo un po', fatto è che ci fu un busso alla porta, e ecco Katz. Era uno piccoletto, sulla quarantina, con una faccia coriacea e i baffi neri, e la prima cosa che fece appena entrato fu di tirar fuori una borsa di tabacco Bull Durham e un fascetto di cartine marroni e di arrotolarsi una sigaretta. La accese, bruciandola per metà da un lato, e poi basta, la tenne penzoloni a un angolo della bocca, e se fosse accesa o spenta, e lui fosse sveglio o dormisse, non si capiva mica. Stava lì seduto, con gli occhi mezzo chiusi, una gamba a cavalcioni del bracciolo, il cappello sulla nuca, e niente. Penserete che per uno nella mia situazione non era una veduta confortante, e invece no. Magari dormiva, ma anche dormendo aveva l'aria di saperla più lunga di tanti da svegli, e mi si sciolse come un groppo in gola, mi pareva che avessero calato una corda nel pozzo, per prendermi su.

Il poliziotto lo guardò arrotolare la sigaretta come fosse Cadona che fa il triplo salto mortale, e non aveva nessuna voglia di andarsene, ma gli toccò. Uscito lui, Katz mi fece segno di cominciare. Gli raccontai dell'incidente, e che Sackett sosteneva che il greco lo avevamo ammazzato noi, per l'assicurazione, e mi aveva fatto firmare quel foglio contro di lei, denunciandola per aver cercato di ammazzare anche me. Ascoltò, e quando ebbi finito se ne stette lì per un po' senza dire una parola. Poi si alzò.

«Ti ha incastrato per bene».

«Non avrei dovuto firmare. Non ci credo che Cora ha fatto una cosa simile. Ma mi ha forzato la mano. E adesso non so come diavolo son messo».

«Be', non avresti dovuto firmare, questo è certo».

«Signor Katz, mi può fare un favore? Andare da lei, e dirle...».

«Andrò da lei. E le dirò quello che le conviene sapere. Per il resto, di questa faccenda mi occupo io, e me ne occuperò a mio modo. Intesi?».

«Sissignore, intesi».

«Sarò con te all'udienza. O comunque ci sarà qualcuno mandato da me. Dato che Sackett ti ha trasformato in querelante, forse non potrò rappresentare tutti e due, ma la faccenda la tratto io. E ancora una volta, questo significa che qualunque cosa faccio, spetta a me trattarla».

«Qualunque cosa, signor Katz».

«Ci vediamo».

Quella sera mi rimisero su una barella e mi portarono in aula per l'udienza preliminare. Era una corte a giurisdizione limitata, non un tribunale regolare. Non c'era il banco dei giurati, né quello dei testimoni né altro del genere. Il magistrato stava su una pedana, con dei poliziotti accanto, e davanti a lui c'era un lungo tavolo che traversava tutta la stanza, e chi aveva qualcosa da dire andava là col mento sul tavolo e lo diceva. C'era un sacco di gente, e quando mi portarono dentro fui bersagliato dai lampi dei fotografi, e dal brusio si capiva che la partita era grossa. Steso com'ero sulla barella non potevo vedere molto, ma scorsi Cora seduta in prima fila con Katz, e Sackett da una parte che parlava a certi tizi con delle cartelle, e alcuni degli agenti e dei testimoni già visti all'inchiesta. Mi posarono davanti al bancone del giudice, su due tavoli accostati, e finirono di aggiustarmi le coperte mentre si concludeva la causa riguardo a una donna cinese, e un agente si mise a picchiare sul banco per fare silenzio. Un giovanotto si chinò su di me e disse di chiamarsi White, e che Katz gli aveva chiesto di rappresentarmi. Annuii, ma quello continuò a bisbigliare che lo aveva mandato Katz, e l'agente si irritò e picchiò più forte.

«Cora Papadakis».

Cora si alzò e andò al tavolo, accompagnata da Katz. Quasi mi toccò, passando, e mi fece un buffo effetto sentire il suo odore, lo stesso odore che mi aveva sempre mandato fuori di testa, sentirlo in quell'ambiente. D'aspetto era un po' meglio di ieri. Aveva un'altra camicetta, che le stava giusta, il vestito pulito e stirato, le scarpe lustre, e l'occhio era nero ma non gonfio. Tutti gli altri andarono al tavolo con lei, e quando furono allineati il poliziotto disse di alzare la mano destra, e borbottò qualcosa sulla verità, tutta la verità e nient'altro che la verità. Si interruppe a metà per vedere se avevo la mano alzata. No. La alzai, riborbottò tutto daccapo, e noi dietro.

Il magistrato si tolse gli occhiali e disse a Cora che era accusata dell'omicidio di Nick Papadakis e del tentato omicidio di Frank Chambers; che se voleva aveva facoltà di parlare, ma tutto quel che diceva avrebbe potuto essere usato contro di lei; che aveva il diritto di essere rappresentata da un avvocato; che aveva otto giorni di tempo per dichiararsi, e la corte avrebbe ascoltato la sua dichiarazione in qualsiasi momento durante tale periodo. Un discorso lunghetto, e prima che finisse ci furono colpi di tosse.

Poi attaccò Sackett, e annunciò quello che si proponeva di dimostrare. Disse più o meno le stesse cose che aveva detto a me la mattina, ma con un tono tutto solenne. Al termine, cominciò a chiamare i suoi testimoni. Il primo fu il dottore dell'ambulanza, e disse quando il greco era morto, e dove. Poi venne il medico legale, che aveva fatto l'autopsia, e poi il segretario del coroner, che identificò i verbali dell'inchiesta, e li consegnò al magistrato; poi un altro paio di persone, ma non ricordo cosa dissero. Quando ebbero finito, fra tutti quanti avevano dimostrato una cosa sola, che il greco era morto, e siccome questo già lo sapevo non feci molta attenzione. Katz non chiese niente a nessuno. Ogni volta che il magistrato lo guardava, lui licenziava il teste con un cenno di mano.

73

Accertata quanto basta la morte del greco, Sackett venne davvero al dunque con qualcosa di interessante. Chiamò un tizio che disse di rappresentare la Pacific States Accident Assurance Corporation, e raccontò che il greco aveva acceso una polizza appena cinque giorni prima. Spiegò cosa copriva la polizza: il greco in caso di malattia avrebbe ricevuto 25 dollari a settimana per cinquantadue settimane, e altrettanto in caso di infortunio che gli impedisse di lavorare; 5000 dollari per la perdita di un arto, e 10 000 per la perdita di due; se moriva in un incidente, la sua vedova avrebbe ricevuto 10 000 dollari, e 20 000 se si trattava di infortunio ferroviario. A questo punto sembrava di sentire un piazzista, e il magistrato alzò una mano.

«Grazie, ho già tutte le polizze che mi servono».

Tutti risero alla battuta. Risi anch'io. Non vi figurate come suonò buffa.

Sackett fece qualche altra domanda, e poi il magistrato si rivolse a Katz. Katz ci pensò su, e quando parlò al teste lo fece lentamente, come per assicurarsi che capisse bene ogni parola.

«Lei è parte interessata, in questo procedimento?».

«In un certo senso sì, signor Katz».

«Lei desidera evitare il pagamento dell'indennizzo, in quanto sarebbe stato commesso un delitto, esatto?».

«Esatto».

«Lei crede davvero che sia stato commesso un delitto, che questa donna abbia ucciso il marito per riscuotere l'indennizzo, e abbia cercato di uccidere o messo deliberatamente quest'uomo in pericolo di morte, sempre al fine di ottenere l'indennizzo in questione?».

Il teste fece un sorrisetto e ci pensò su, come se volesse ricambiare la cortesia e riuscire anche lui il più chiaro possibile. «Rispondendo alla sua domanda, signor Katz, faccio presente che ho trattato migliaia di casi simili, casi di frode che mi arrivano sul tavolo ogni giorno, e penso di avere un'esperienza non comune in questo genere di indagini. Le dirò che in tanti anni di lavoro per la compagnia in questione e per altre non ho mai visto un caso più lampante. Non solo credo che sia stato commesso un delitto, signor Katz: lo so, praticamente».

«Basta così. Vostro onore, dichiaro la mia cliente colpevole per entrambe le imputazioni».

Se avesse tirato una bomba in aula lo scompiglio non sarebbe stato maggiore. I giornalisti si precipitarono fuori, i fotografi assaltarono la pedana, facevano a gomitate, e il magistrato andò in collera e si mise a battere sul tavolo per ristabilire l'ordine. Sackett sembrava che gli avessero sparato, e tutt'intorno c'era un frastuono come se d'un tratto mi avessero appoggiato una conchiglia di mare all'orecchio. Io cercavo la faccia di Cora, ma riuscii a vederle solo l'angolo della bocca. Aveva delle contrazioni continue, come se ad ogni secondo le ficcassero un ago nel labbro.

Poi i barellieri mi presero su e seguirono il giovanotto, White, fuori dall'aula. Mi portarono di gran carriera per un paio di corridoi fino a una stanza dov'erano tre o quattro agenti. White disse qualcosa su Katz e gli agenti uscirono. I barellieri mi posarono su un tavolo e uscirono anche loro. White gironzolò un po' per la stanza, poi si aprì la porta e entrò una donna poliziotto con Cora. White e la poliziotta andarono via, chiusero la porta, e restammo soli io e Cora. Cercai di pensare a qualcosa da dire, ma non ci riuscivo. Lei girellava, senza guardarmi. Le tremava ancora la bocca. Io continuavo a inghiottire, e dopo un po' qualcosa mi venne in mente.

«Siamo stati imbrogliati, Cora».

Non disse niente. Continuò a girare attorno.

«Quel Katz è nient'altro che un tirapiedi della polizia. Me lo aveva mandato un agente. Credevo che fosse sincero. Ma siamo stati imbrogliati».

«Oh no, non siamo stati imbrogliati».

«Siamo stati imbrogliati. Avrei dovuto saperlo, visto che me lo rifilava uno sbirro. Ma non ci ho pensato, lo credevo onesto».

«Sono stata imbrogliata io, non tu».

«Sì invece. Ha fatto fesso anche me».

«Adesso capisco tutto. Capisco perché l'auto dovevo guidarla io. Perché l'altra volta dargli la botta è toccato a me, non a te. Oh sì. Mi sono innamorata di te perché eri in gamba, e adesso lo vedo quanto sei in gamba. Buffo, no? Ti innamori di uno perché ci sa fare e poi scopri che ci sa fare davvero».

«Cosa vorresti dire, Cora?».

«Eccome, se sono stata imbrogliata. Tu e quell'avvocato. L'hai combinata bene. L'hai combinata come se avessi cercato di ammazzare anche te, perché sembrasse che tu non puoi averci avuto niente a che fare. Poi mi fai dichiarare colpevole in aula, così tu sei fuori del tutto. Va bene. Io penso di essere abbastanza stupida, ma non più di tanto. Ascolta, signor Frank Chambers. Prima che finisca vedremo quanto sei furbo. Anche la furberia quando è troppa stroppia».

Cercai di parlarle, inutile. Quando fu al punto che le si erano sbiancate le labbra, sotto il rossetto, la porta si aprì e entrò Katz. Feci per saltargli addosso dalla barella, ma non potevo muovermi. Mi avevano immobilizzato con le cinghie.

«Via di qua, farabutto! "Me ne occupo io", come no. Adesso la conosco per quello che è. Mi ha sentito? Se ne vada!».

«Ma cosa c'è, Chambers?».

Pareva un maestro d'asilo che parla a un bambino in lacrime perché gli hanno preso il chewing-gum. «Cosa c'è? Sicuro, me ne occupo io. Te l'avevo detto».

«Certo. Ma si raccomandi l'anima se arrivo a metterle le mani addosso».

Guardò Cora, come se trovasse il mio comportamento veramente incomprensibile, e sperasse nel suo aiuto per raccapezzarsi. Lei gli andò davanti.

«Voi due, lei e questo qui, vi siete messi in combutta per farla pagare a me, e che lui se la passi gratis. Be', lui c'è dentro tanto quanto me e non la farà franca. Lo dirò, racconterò tutto, e voglio raccontarlo subito».

Katz la guardò, con un'aria sorniona come ne ho viste poche, e scosse la testa. «Ma cara ragazza. Io eviterei. Se lascia fare a me...».

«Lei ha già fatto. Adesso faccio io».

Lui si alzò, si strinse nelle spalle e uscì. Se n'era appena andato e comparve un tizio con due piedoni e il collo rosso, e una macchina da scrivere portatile. Sistemò la macchina con sotto un paio di libri sopra una sedia, si mise in posizione e si volse a Cora.

«Il signor Katz dice che lei vuole fare una dichiarazione».

Aveva una vocetta fessa e parlando fece un mezzo sogghigno.

«Sì. Una dichiarazione».

Cora cominciò a parlare a scatti, due o tre parole alla volta, e lui a battere, svelto. Raccontò tutto, fin dal principio: come mi aveva conosciuto, che ci eravamo messi insieme, che avevamo già cercato di far fuori il greco ma senza riuscirci. Un paio di volte un poliziotto si affacciò alla porta, ma il dattilografo lo fermò con un gesto.

«Solo un minuto, sergente».

«Okay».

Arrivata alla fine lei disse che dell'assicurazione non sapeva niente, che non l'avevamo fatto per quello, ma solo per liberarci di lui.

«È tutto».

L'uomo adunò i fogli e glieli fece firmare. «Mi sigla queste pagine?». Cora le siglò. Lui tirò fuori una marca da bollo, le disse di alzare la mano destra, applicò la marca e la firmò. Poi si mise in tasca le carte, chiuse la portatile e uscì.

Cora andò alla porta e chiamò la sua custode. «Sono pronta». La poliziotta entrò e la accompagnò fuori. Arrivarono i barellieri e portarono fuori me. Camminavano svelti ma a un certo punto si incagliarono tra la gente che stava a guardare Cora, davanti all'ascensore con la sua custode, in attesa di salire alla prigione. È all'ultimo piano del Palazzo di Giustizia. Mentre passavamo là in mezzo la mia coperta scivolò, strascicando sul pavimento. Cora la tirò su, me la rimboccò e si girò dall'altra parte.

CAPITOLO 11

Mi riportarono all'ospedale, ma a sorvegliarmi, invece dell'agente in divisa, venne il tizio che aveva battuto la confessione, e si stese sull'altro letto. Cercai di dormire, e dopo un po' mi addormentai. Sognai che Cora mi guardava e io cercavo di dirle qualcosa ma non ci riuscivo. Poi lei spariva e io mi svegliavo, e avevo quello scrocchio nelle orecchie, lo scrocchio orribile della testa del greco quando lo colpivo. Mi riaddormentavo, e sognavo di cadere, e mi svegliavo di nuovo, la mano sul collo, e quello scrocchio ancora nelle orecchie. Una volta mi svegliai urlando. L'uomo si tirò su sul gomito.

«Ehi».

«Ehi».

«Che succede?».

«Niente. Facevo un sogno».

«Okay».

Non mi lasciò un attimo. Al mattino si fece portare una bacinella d'acqua, cavò di tasca un rasoio e si fece la barba. Poi si lavò. Portarono la colazione, e mangiò la sua al tavolo. Non scambiammo una parola.

Mi portarono un giornale, e c'era un articolo in prima pagina, con una grande fotografia di Cora e sotto una più piccola di me in barella. L'assassina della bottiglia, la chiamavano, e dicevano che all'udienza preliminare si era dichiarata colpevole e oggi ci sarebbe stata la sentenza. In una pagina interna c'era un pezzo sulla rapidità con cui si sarebbe concluso il caso, probabilmente un record, e un altro pezzo su un pastore che aveva detto, se si procedesse sempre così spediti sarebbe meglio di cento leggi, per ridurre la criminalità. Sfogliai tutto il giornale in cerca di qualcosa sulla confessione. Non c'era niente.

Verso mezzogiorno venne un dottore giovane a lavorarmi la schiena con l'alcol per togliere una parte del cerotto. Avrebbe dovuto ammollirlo ma per lo più sbucciava e basta, e mi fece un male del diavolo. Quando ne ebbe tolto un po' vidi che potevo muovermi. Mi lasciò addosso il resto, un'infermiera mi portò la mia roba e mi vestii. Entrarono quelli della barella e mi aiutarono a raggiungere l'ascensore e a uscire dall'ospedale. C'era un'auto che aspettava, con l'autista; l'uomo che era stato la notte con me mi fece salire. Dopo un paio di isolati la macchina si fermò. Entrammo in un palazzo e andammo su, in un ufficio. E mi trovai davanti Katz con la mano tesa e un sorriso che gli andava da un orecchio all'altro.

«Tutto fatto».

«Splendido. Quando la impiccano?».

«Non la impiccano. È fuori, libera. Libera come l'aria. Tra poco verrà qui, appena sbrigate certe cose in tribunale. Entra, ti racconterò tutto».

Mi portò in una stanza privata e chiuse la porta. Si arrotolò una sigaretta, la bruciò per metà, se la incollò al labbro e cominciò a parlare. Stentavo a riconoscerlo. Lui così sonnolento il giorno prima, pareva impossibile che fosse tanto eccitato.

«Chambers, questo è il caso più straordinario che ho avuto in vita mia. Ci sono entrato e uscito in meno di ventiquattr'ore, eppure ti dico che non ho mai avuto niente di simile. Be', l'incontro tra Dempsey e Firpo è durato meno di due round, no? Quel che conta non è la durata. È quello che fai quando sei sul ring.

«Questo però non era un incontro di pugilato. Era una partita a carte, una partita a quattro dove a tutti sono toccate carte splendide. Spuntala, se ci riesci. Tu pensi che ci vuol mestiere, no, per giocare una mano balorda? Al diavolo. Mani balorde me ne capita ogni giorno. Dammene una così, dove tutti hanno carte coi fiocchi, *dove tutti, a giocarle bene, hanno carte vincenti*, e sta' a vedere. Oh, Chambers, che favore mi hai fatto a tirarmi in ballo. Non mi capiterà più, una causa simile».

«Ancora non ha detto niente».

«Dirò, dirò, non ti preoccupare. Ma non puoi farti un'idea, e capire come si è giocata la partita, finché non ti spiego le carte. Dunque, primo. C'eri tu e la donna. Carte perfette, ciascuno dei due. Perché è stato un delitto perfetto, Chambers. Forse nemmeno sai quanto. Tutte le storie di Sackett per spaventarti, sulla donna che non era in macchina quando è andata di sotto, e aveva preso la borsetta, eccetera eccetera, non valevano un fico secco. Capita che un'auto stia in bilico prima di rotolar giù, no? E capita che una donna prima di saltar via afferri la borsetta, no? Sono cose che non provano niente, nessun delitto. Provano solo che è una donna».

«Lei come l'ha saputa, questa roba?».

«Da Sackett, l'ho saputa. Ieri sera abbiamo cenato insieme, e lui cantava vittoria. Mi compativa, il babbeo. Sackett e io siamo nemici. Mai visti nemici più cordiali. Venderebbe l'anima al diavolo per fregarmi, e io idem. Abbiamo anche fatto una scommessa, su questa faccenda. Cento dollari. Lui mi sfotteva, perché si sentiva in una botte di ferro, gli bastava giocare le sue carte e lasciare il resto al boia».

Mica male, quei due che scommettevano cento dollari su cosa il boia avrebbe fatto a me e a Cora, ma volevo vederci chiaro lo stesso.

«Se le nostre carte erano tanto buone, quelle di Sackett come c'entravano?».

«Ci arrivo. Voi avevate buone carte, ma Sackett sa che non c'è uomo o donna capace di usarle se il procuratore gioca bene le sue. Sa che gli basta mettervi uno contro l'altra, e opplà. Questa è la prima cosa. Poi c'è che lui non deve nemmeno darsi da fare per montare il caso. Ci pensa la compagnia di assicurazione, senza che lui alzi un dito. Il bello per Sackett era questo. Doveva solo squadernare le carte, e l'arrosto gli sarebbe caduto in bocca. Sicché cosa fa? Ti sbatte in faccia i dati che gli ha scovato la compagnia di assicurazione, ti spaventa a morte e ti convince a firmare una denuncia contro la tua Cora. Prende la carta migliore che avevi, il fatto che anche tu eri conciato male, e con quella ti fa buttare il tuo asso di briscola. Se ti eri ridotto tanto male, doveva ben essere stato un incidente; eppure Sackett se ne serve per farti firmare una denuncia contro di lei. E tu firmi, perché hai paura che altrimenti lui capirà di sicuro che il greco l'hai ammazzato tu».

«Mi è venuta fifa, tutto qui».

«La fifa c'è da contarci, in un omicidio, e nessuno ci conta più di Sackett. Dunque. Sackett ti ha portato dove vuole lui. Ti farà testimoniare contro Cora, e sa che allora nessuna forza al mondo la tratterrà dal vuotare il sacco contro di te. Ecco come stanno le cose per lui, quando andiamo a cena insieme. Sicché mi sfotte. Mi compatisce. Scommette cento dollari. E intanto io me ne sto lì con in mano una carta che a giocarla bene so di poterlo battere. Allora, Chambers. Mi stai guardando la mano. Cosa ci vedi?».

«Non molto».

«Be', cosa?».

«Niente, a dire il vero».

«Neanche Sackett ha visto niente. Ma ora sta' a sentire. Ieri, dopo che ti ho lasciato, sono andato da lei e mi sono fatto dare un'autorizzazione per aprire la cassetta di sicurezza di Papadakis. E ho trovato quello che mi aspettavo. C'erano altre polizze, nella cassetta. Ho parlato con l'agente che le aveva stipulate, e ecco cosa ho scoperto:

«Quella polizza per gli infortuni non aveva niente a che fare con l'incidente toccato a Papadakis qualche settimana fa. L'agente aveva visto sull'agenda che l'assicurazione auto di Papadakis stava per scadere, ed è andato a trovarlo. Cora non c'era. Hanno sistemato alla svelta la pratica per l'automobile: incendio, furto, collisione, responsabilità civile, la solita roba. Poi l'agente fece presente a Papadakis che era coperto su tutta la linea, ma non per eventuali danni alla sua persona, e gli propose un'assicurazione contro gli infortuni. Papadakis fu subito interessato. Può darsi che la ragione fosse quell'incidente, ma comunque all'agente non ne ha parlato affatto. Ha firmato tutto quanto, ha dato l'assegno all'agente, e il giorno dopo le polizze gli sono state spedite per posta. Sai, un agente lavora per parecchie compagnie, e non tutte le polizze erano della stessa compagnia. Questo è il punto numero uno di cui Sackett si è scordato. Ma la cosa principale da ricordare è che Papadakis non aveva solo la nuova assicurazione. Aveva anche altre polizze, *e mancava ancora una settimana alla loro scadenza.*

«Bene, adesso fai mente locale. La Pacific States Accident è impegnata per una polizza infortuni da 10000 dollari. La Guaranty ha sulle spalle una vecchia polizza da 10000 dollari per responsabilità civile, e la Rocky Mountain Fidelity una polizza recente pure da 10000 dollari e sempre per responsabilità civile. Così questa è la mia prima carta. Sackett ha dalla sua una compagnia d'assicurazione per un valore di 10000 dollari. Io dalla mia ne ho due, per un totale di 20000. Capisci?».

«No».

«Ascolta. Sackett ti ha rubato la tua carta di briscola, vero? Be', la stessa carta io l'ho rubata a lui. Tu sei rimasto ferito, no? Ferito malamente. Allora, se Sackett convince la tua amica di omicidio, e tu le fai causa per i danni subiti in seguito all'omicidio, una giuria ti darà tutto quello che chiedi. E le due compagnie dovranno pagare le loro polizze fino all'ultimo soldo».

«Adesso ci sono».

«Bravo, Chambers, bravo. Io questa carta l'ho trovata nel mio guantone, ma tu non l'avevi trovata, e non l'aveva trovata Sackett, e quelli della Pacific States Accident nemmeno, perché erano così occupati a cavare le castagne dal fuoco per lui, e così sicuri della sua vittoria, che nemmeno ci hanno pensato».

Girò due o tre volte per la stanza, guardandosi con amore ogni volta che passava davanti a uno specchietto appeso nell'angolo, e proseguì.

«Va bene, la carta c'era, ma si trattava di come giocarla. Dovevo giocarla presto, perché Sackett aveva già giocato la sua, e quella confessione era in arrivo da un momento all'altro. Poteva uscir fuori anche all'udienza preliminare, appena la donna ti sentiva testimoniare contro di lei. Dovevo muovermi alla svelta. Allora cosa ho fatto? Ho aspettato che quello della Pacific States Accident testimoniasse, e poi gli ho fatto dire, e mettere a verbale, che a suo parere era stato certamente commesso un crimine. Questo, caso mai in seguito convenisse citarlo per arresto illegale. E poi, paffete, l'ho dichiarata colpevole. Così, fine dell'udienza preliminare, e per quella sera Sackett era bloccato. Poi ho fatto portare d'urgenza la donna in una saletta per i colloqui, ho chiesto mezz'ora di tempo prima che la rinchiudessero per la notte, e ti ho mandato là dentro con lei. Cinque minuti a quattr'occhi con te, non le occorreva altro. Quando sono entrato era pronta a cantare. E ho mandato dentro Kennedy».

«Il poliziotto che è rimasto con me stanotte?».

«Era un poliziotto, ma non è più nella polizia. Adesso lavora per me. Lei credeva di parlare con uno sbirro, ma in realtà parlava con un mio aiutante. Però ha funzionato. Si è sfogata, e dopo se ne è stata tranquilla fino a oggi, il tempo che bastava. L'altro problema eri tu. Probabile che te la svignassi. Non eri imputato di niente, quindi non eri più in stato di arresto, anche se credevi di sì. Appena te ne fossi accorto, sapevo che non c'era cerotto, mal di schiena o infermiere capace di fermarti, così dopo che Kennedy ha finito con lei l'ho mandato a tenerti d'occhio. Poi c'è stata una piccola conferenza notturna tra la Pacific States, la Guaranty e la Fidelity. E quando gli ho spiegato la situazione, hanno combinato l'affare in un baleno».

«Che vuol dire, combinato l'affare?».

«Primo, gli ho letto le norme di legge. Gli ho letto la clausola sui terzi trasportati, articolo 141, comma 4 del codice stradale della California. Dice che il passeggero di un'autovettura, se infortunato, non ha diritto a risarcimento, *a meno che* il danno derivi da ubriachezza o comportamento doloso del guidatore, nel qual caso il risarcimento compete. Vedi, tu eri un passeggero, e io avevo dichiarato Cora colpevole di omicidio e aggressione. C'era dolo, no? Da vendere. E loro non potevano essere sicuri, forse lei aveva agito da sola. Così le due compagnie impegnate per la responsabilità civile, quelle che gli sarebbe toccata una bella stangata da parte tua, hanno sborsato 5000 dollari ciascuna per pagare la polizza della Pacific States, e la Pacific States ha accettato di onorare la polizza e di star zitta, e per tutta la faccenda c'è voluto meno di mezz'ora».

Si arrestò, beandosi un altro po' di se stesso.

«E poi?».

«Ci sto ancora pensando. Vedo ancora la faccia che ha fatto Sackett poco fa, quando quello della Pacific States oggi è tornato al banco a dire che ulteriori indagini lo avevano convinto che non c'era stato nessun crimine, e che la sua compagnia avrebbe pagato per intero l'indennizzo della polizza infortuni. Chambers, lo sai che effetto fa? Far scoprire uno con una finta, e poi appioppargli una sventola dritto sul mento? Non c'è niente di più bello al mondo».

«Però non capisco. Perché è tornato a testimoniare, quello là?».

«C'era da pronunciare la sentenza per Cora. E dopo una dichiarazione di colpevolezza, la corte di solito vuole ascoltare qualche testimonianza per vedere come stanno le cose, prima di decidere la sentenza. E Sackett aveva cominciato a ringhiare. Voleva la pena di morte. Ah, gli piace l'odore del sangue, a Sackett. Per questo mi fa venir voglia di lavorargli contro. È davvero convinto che impiccare la gente sia una buona cosa. La posta è grossa, quando giochi contro Sackett. Così ha rimandato al banco il tizio dell'assicurazione. Ma invece di essere il *suo* figlio di puttana, dopo quella piccola seduta notturna il tizio era diventato il *mio* figlio di puttana, solo che Sackett non lo sapeva. Quando l'ha scoperto ha fatto fuoco e fiamme, ma era troppo tardi. Se una compagnia d'assicurazione non credeva che lei fosse colpevole, figurarsi se l'avrebbe creduto una giuria. Dopo quella deposizione non c'era una possibilità al mondo di condannarla. Ed è stato allora che l'ho steso, Sackett. Mi sono alzato e ho fatto un discorsetto alla corte, con tutta calma. Ho detto che la mia cliente aveva protestato fin dall'inizio la sua innocenza, ma che io non le avevo creduto. Sapevo che esistevano contro di lei prove a mio parere schiaccianti, sufficienti a farla condannare in qualsiasi tribunale; e avevo ritenuto di agire nel suo interesse decidendo di dichiararla colpevole e di affidarla alla clemenza della corte. Ma... Chambers, sai come l'ho rigirato in bocca, quel *ma*? Ma, alla luce della deposizione resa testé, non potevo far altro che ritirare la dichiarazione di colpevolezza e lasciare che il processo seguisse il suo corso. Per Sackett niente da fare, perché ero ancora entro il limite degli otto giorni per la formulazione della linea difensiva. Sapeva di essere battuto, e ha acconsentito a declassare l'imputazione a omicidio colposo. La corte ha interrogato gli altri testimoni, ha condannato Cora a sei mesi con la condizionale, e in pratica le ha chiesto scusa anche per quelli. Quanto all'accusa di aggressione, è stata annullata. Era questa la chiave di tutta la faccenda, e quasi ce ne dimenticavamo».

Bussarono alla porta. Kennedy entrò con Cora, posò certe carte davanti a Katz e uscì. «Allora, Chambers. Metti solo una firma qui, ti spiace? È una rinuncia a ogni richiesta di danni da parte tua. Va a loro, in compenso per essere stati così gentili».

Firmai.

«Cora, vuoi che ti accompagni a casa?».

«Penso di sì».

«Un momento, un momento, voi due. Non tanta fretta. C'è un'altra cosuccia. Quei diecimila dollari che vi toccano per aver fatto fuori il greco».

Cora mi guardò e io guardai lei. Lui stava lì seduto e guardava l'assegno. «Vedete, la giocata non sarebbe perfetta se non ci fossero un po' di soldi per Katz. Mi ero scordato di dirvelo. Bene. Oh, be'. Non sarò ingordo. Generalmente mi prendo tutto, ma stavolta faremo a metà. Signora Papadakis, lei mi dà un assegno per 5000 dollari, e io le giro questo e vado in banca a sistemare i depositi. Qua. Eccole un assegno in bianco».

Cora sedette, prese la penna, cominciò a scrivere, e poi si fermò, come se non si raccapezzasse bene. D'improvviso Katz si accostò, tirò via l'assegno in bianco e lo strappò.

«Oh, che diavolo. Una volta nella vita, no? Ecco. Tenetevi tutto. Non m'importa dei dieci verdoni. Ce li ho già. Questo, voglio!».

Aprì il portafogli, tirò fuori un pezzetto di carta e ce lo mostrò. Era l'assegno di 100 dollari di Sackett. «Credete che andrò a incassarlo? Manco per sogno. Lo faccio incorniciare e lo appendo lì, sopra la scrivania».

CAPITOLO 12

Uscimmo di là e prendemmo un taxi, mezzo azzoppato com'ero, e prima andammo in banca a depositare l'assegno, poi da un fioraio a prendere due grandi mazzi di fiori, e poi al funerale del greco. Sembrava strano che fosse morto solo da due giorni, e dovessero ancora seppellirlo. Il funerale era in una chiesina greca, e c'era una quantità di gente; alcuni erano greci che avevo visto qualche volta giù al locale. Quando entrammo l'accolsero a muso duro e la fecero sedere in terza o quarta fila. Vidi che ci guardavano, e mi chiesi cosa avrei fatto se più tardi provavano a metterci le mani addosso. Erano amici del morto, non nostri. Ma di lì a poco vidi che tra i banchi si passavano un giornale del pomeriggio, con grossi titoli sulla sua innocenza, e un inserviente gli diede un'occhiata e venne di corsa a spostarci in prima fila. Il tizio che faceva il sermone esordì con qualche battutaccia su come era morto il greco, ma uno andò da lui e gli bisbigliò qualcosa indicando il giornale che ormai era arrivato ai banchi davanti, e il predicatore cambiò tono e ricominciò daccapo, senza battutacce, e parlò del dolore della vedova e degli amici, e tutti assentivano con la testa, approvando. Quando uscimmo nel camposanto, dov'era la tomba, un paio di loro presero Cora a braccetto e l'accompagnarono, e altri due aiutarono me. Mentre lo calavano giù mi venne da piangere. Il canto di quegli inni ti scombussola sempre, e specialmente se è per qualcuno a cui vuoi bene come io ne volevo al greco. Alla fine cantarono una canzone che gli avevo sentito cantare cento volte, e per me fu la botta finale. Riuscii solo a disporre i nostri fiori come andavano messi, credo.

Il tassista trovò uno che ci affittava una Ford per quindici dollari a settimana, la prendemmo e partimmo. Guidava lei. Fuori città passammo davanti a una casa in costruzione, e per tutta la strada si parlò di come ne sono venute su poche negli ultimi tempi, ma che la zona si riempirà appena le cose migliorano. Arrivati da noi lei mi fece scendere, mise via la macchina e entrammo. Era tutto come l'avevamo lasciato, con i bicchieri ancora nell'acquaio, i bicchieri del vino che avevamo bevuto, e la chitarra del greco, che non era stata riposta perché lui era troppo ubriaco. Cora mise la chitarra nella custodia, lavò i bicchieri, e salì di sopra. Dopo un momento andai su anch'io.

Era in camera loro, seduta alla finestra, e guardava la strada.

«Allora?».

Non disse niente. Feci per andarmene.

«Non ti ho chiesto di andar via».

Mi sedetti. Rimase assorta a lungo, prima di riscuotersi.

«Mi hai dato contro, Frank».

«No, non è vero. Mi ha preso per la gola. Ho dovuto firmarlo, il suo foglio. Sennò avrebbe capito tutto. Non ti ho dato contro. Gli ho solo mollato l'osso, il tempo di vedere come eravamo messi».

«Hai mollato me. Te l'ho letto negli occhi».

«Va bene, Cora, d'accordo. Ho avuto paura, ecco qua. Non volevo farlo, ho cercato di non farlo. Ma lui mi ha messo sotto. Sono crollato, tutto qui».

«Lo so».

«Ci sono stato malissimo».

«E io ho mollato te, Frank».

«Te l'hanno fatto fare, non volevi. Ti hanno intrappolata».

«Volevo. Ti odiavo».

«Va bene, era per qualcosa che in realtà non avevo fatto. Adesso sai com'è andata».

«No. Ti odiavo per qualcosa che hai fatto davvero».

«Io non ti ho mai odiato, Cora. Mi odiavo io».

«Adesso non ti odio. Odio quel Sackett. E Katz. Perché non ci hanno lasciato stare? A vedercela fra te e me? Non mi sarebbe importato. Non mi sarebbe importato, neanche se voleva dire, sai... Avremmo avuto il nostro amore. La sola cosa che abbiamo mai avuto. Ma appena si sono messi in mezzo quei due, con i loro trucchi, mi hai dato contro».

«E tu hai dato contro a me, non ti scordare».

«Questo è il brutto. Ti ho dato contro. Ci siamo rivoltati uno contro l'altro».

«Be', così è pari, no?».

«È pari, ma guardaci adesso. Eravamo in cima a un monte. Stavamo così in alto, Frank. Abbiamo avuto tutto, là fuori, quella notte. Non sapevo di poter provare una cosa così. E ci siamo baciati e quella cosa l'abbiamo chiusa dentro di noi, che ci restasse per sempre, a qualunque costo. Non c'erano due persone al mondo che avessero tanto. E poi siamo caduti giù. Prima tu, e poi io. Sì, siamo pari. Siamo insieme, qua sotto. Ma non più lassù in alto. Il nostro bel monte è sparito».

«Insomma, che diavolo... Siamo insieme, no?».

«Sembra. Ma ho pensato molto, Frank. Stanotte. A te e a me, e al cinema, e perché ho fatto fiasco, e alla bettola, e alla strada, e perché a te piace tanto. Siamo

solo due poveretti, Frank. Dio quella notte ci ha baciato in fronte. Ci ha dato tutto quello che due persone
possono avere. E noi non eravamo tipi da averlo, ecco.
Tutto quell'amore, non ce l'abbiamo fatta a reggerlo.
È come un motore d'aeroplano, che ti porta attraverso il cielo, fino in cima alla montagna. Ma se lo metti
in una Ford, la manda in pezzi. Ecco cosa siamo noi
due, Frank, due Ford. Dio è lassù che se la ride di
noi».

«Balle. E anche noi del resto ce la ridiamo di lui,
no? Ci ha messo sulla strada un segnale di stop, bello rosso, e noi siamo passati. E che è successo? Siamo
sprofondati nell'abisso? Macché. L'abbiamo scampata
liscia, con diecimila dollari per il disturbo. Dio ci ha
baciato in fronte, sì? Allora il diavolo è venuto a letto
con noi, e credi a me, bambina, con lui ci si dorme mica male».

«Non parlare così, Frank».

«I dieci verdoni li abbiamo avuti o no?».

«Non mi va di pensare a quei soldi. Sono tanti, ma
non comprerebbero il nostro monte».

«Ma quale monte, abbiamo il monte e diecimila fo-
glietti da ammucchiarci in cima. Se vuoi volare in alto,
dà un'occhiata in giro da quel mucchio».

«Matto che sei. Vorrei che ti vedessi, a sbraitare con
quella benda sulla testa».

«Hai dimenticato qualcosa. Abbiamo qualcosa da
festeggiare. Non ci siamo ancora fatti quella bevuta».

«Non parlavo di quel genere di bevute».

«Una bevuta è una bevuta. Dov'è la bottiglia che
avevo prima di andarmene?».

Andai in camera mia e trovai la bottiglia. Di bourbon, piena per tre quarti. Scesi di sotto, presi dei bicchieri da Coca-Cola, dei cubetti di ghiaccio e del White
Rock e tornai su. Lei si era tolta il cappello e aveva i capelli sciolti. Riempii i bicchieri. C'era dentro un po' di
White Rock e un paio di pezzetti di ghiaccio, ma il resto era bourbon.

«Bevi un sorso. Ti sentirai meglio. Come diceva Sackett quando mi torchiava, il bastardo».

«Ehi, ma è forte».

«Puoi dirlo. Qua, hai troppa roba addosso».

La spinsi verso il letto. Aveva il bicchiere in mano e un po' se ne versò. «Al diavolo. Ce n'è ancora tanto nella bottiglia».

Cominciai a sfilarle la camicetta. «Stracciami, Frank. Stracciami come hai fatto quella notte».

Le strappai i panni di dosso. Lei si torceva e rigirava, lentamente, in modo che le scivolassero da sotto i piedi. Poi chiuse gli occhi e si sdraiò supina. I capelli le cadevano a riccioli sulle spalle, serpentini. Gli occhi erano neri, e i seni non si rizzavano puntuti verso di me, si allargavano morbidi in due grandi macchie rosa. Sembrava la progenitrice di tutte le puttane del mondo. Il diavolo quella notte ebbe quanto gli spettava.

CAPITOLO 13

Andammo avanti per sei mesi, e sempre allo stesso modo. Litigavamo, e io allungavo la mano alla bottiglia. Si litigava riguardo all'andar via. Non potevamo lasciare la California fino al termine della condanna sospesa; però, dopo, la mia idea era di battercela. A lei non lo dissi, ma desideravo che Cora fosse a buona distanza da Sackett. Temevo, se per qualche motivo si guastava con me, che perdesse la testa e spifferasse tutto, come aveva fatto dopo quell'udienza preliminare. Di lei non mi fidavo per niente. Dapprima si era entusiasmata, all'idea di partire, specie quando mi misi a parlare delle Hawaii e dei Mari del Sud, ma poi cominciarono a piovere soldi. Quando riaprimmo, una settimana dopo il funerale, la gente venne a frotte, per vedere lei che faccia aveva, poi tornò perché si era trovata bene. E Cora si eccitò, che noi qui avevamo l'occasione di aumentare il gruzzolo.

«Frank, le bettole qua attorno fanno tutte schifo. I padroni è gente che prima stava in qualche fattoria del Kansas o dove, e di come trattare i clienti ne sa quanto un bue. Io credo che se qualcuno provasse a metter su un posto bellino, qualcuno che conosce il mestiere come me, sai quanti ci verrebbero e ci porterebbero gli amici».

«Al diavolo loro e gli amici. Questo posto lo vendiamo».

«Lo venderemo meglio se ci facciamo soldi».

«Ne facciamo già».

«Voglio dire soldi sul serio. Ascolta, Frank. Ho idea che alla gente piacerebbe starsene seduta qua fuori sotto gli alberi. Pensaci un po'. Tutto questo bel tempo che c'è in California, e che si fa? Fai star chiusa la gente dentro locali messi su tutti uguali dalla stessa ditta specializzata, che puzzano da dare il voltastomaco, e le fai mangiare la stessa robaccia uguale da Fresno fin giù al confine, senza mai darle modo di godersi un'ora piacevole».

«Senti. Noi vendiamo, d'accordo? Allora meno abbiamo da vendere e prima ce ne sbrighiamo. Certo che ai clienti gli piacerebbe sedersi sotto gli alberi. Lo capisce anche un imbranato. Ma se li mettiamo sotto gli alberi bisogna comprare dei tavoli, e attaccare un sacco di lampadine là fuori, eccetera eccetera, e magari a chi comprerà il posto non gli sta bene».

«Dobbiamo restare qui sei mesi. Ci piaccia o no».

«Allora i sei mesi li usiamo per trovare un compratore».

«Io ci voglio provare».

«E tu prova, d'accordo. Ma ti ho avvertito».

«Potrei mettere fuori qualcuno dei tavoli che abbiamo già».

«Ti ho detto prova, no? Su, beviamoci un goccio».

Dove ci scontrammo di brutto fu riguardo alla licenza per la birra, e allora capii cosa lei aveva in mente davvero. Mise i tavoli sotto gli alberi, su una piccola pedana che aveva fatto fare, con sopra un tendone a strisce e delle lanterne la notte, e andò piuttosto bene. Aveva avuto ragione lei. Alla gente piaceva starsene sotto gli alberi per una mezz'ora, e ascoltare un po' di musica della radio, prima di risalire in macchina e proseguire. E poi venne fuori la questione della birra. Cora vide la possibilità di lasciare il posto com'era, con in più la birra, e chiamarlo birreria all'aperto.

«Non voglio nessuna birreria all'aperto, ti dico. Voglio solo un tizio che compri ogni cosa e paghi in contanti».

«Ma mi sembra un peccato».

«A me no».

«Ma ascolta, Frank. La licenza per sei mesi costa solo dodici dollari. Santo Dio, ce li possiamo permettere dodici dollari, no?».

«Prendiamo la licenza e ci impegoliamo nel ramo birra. Siamo già impegolati nel ramo benzina e nel ramo hot dog, e adesso ci vogliamo mettere anche la birra. All'inferno. Io voglio cavarne i piedi, non affondarci di più».

«Ce l'hanno tutti, la licenza».

«Buon pro gli faccia, per quel che mi riguarda».

«La gente viene, e c'è il posto tutto ben messo sotto gli alberi, e io gli devo dire che non abbiamo birra perché ci manca la licenza».

«Cosa devi, non c'è bisogno di dire un bel niente».

«Basta solo mettere un fusto e possiamo avere la birra alla spina. È meglio di quella in bottiglia e si guadagna di più. L'altro giorno a Los Angeles ho visto dei bellissimi bicchieri. Bei bicchieroni alti. Di quelli che alla gente piace berci la birra».

«Anche i fusti e i bicchieri, adesso. Ti dico che *non voglio* nessuna birreria».

«Frank, non ti viene mai voglia di *essere* qualcosa?».

«Senti, ficcatelo in testa. Io voglio andare via da questo posto. Voglio andare da qualche altra parte, dove ogni volta che guardo in giro non vedo il fantasma di un greco dell'accidente, e non sento la sua eco in sogno, e non salto su ogni volta che c'è una chitarra alla radio. Devo andare via, chiaro? Devo andarmene di qui o divento matto».

«Bugie. Non me la conti giusta».

«Oh sì. Mai stato più sincero in vita mia».

«Tu non vedi il fantasma di nessun greco, non è mica questo. Un altro magari lo vedrebbe, ma non il signor Frank Chambers. No, tu vuoi andartene perché sei un vagabondo, ecco cosa. Questo eri quando sei capitato qui e questo sei adesso. Andiamo via, finiscono i soldi, e poi?».

«Che m'importa? Ce ne saremo andati, no?».

«Ecco, a te non importa niente. Potremmo restare qui...».

«Lo sapevo. È questo che vuoi veramente. È questo che hai sempre voluto. Che restiamo qui».

«E perché no? Le cose ci vanno bene. Perché non restare? Ascolta, Frank. È da quando mi conosci che cerchi di farmi diventare randagia, ma non ci riuscirai. Te l'ho detto, io non sono una vagabonda. Voglio *essere* qualcosa. Noi restiamo qui. Non ce ne andiamo. Prendiamo la licenza per la birra. Diventiamo qualcosa».

Era notte alta, e stavamo al piano di sopra, mezzo spogliati. Lei girava per la camera come quella volta dopo la prima udienza, e parlava strano, a scatti, come allora.

«Restiamo, certo. Faremo come dici tu, Cora. Qua, bevi un sorso».

«Non mi va di bere».

«Sì che ti va. Dobbiamo ridercela ancora un po' per i soldi che ci hanno dato, no?».

«Abbiamo già riso, per quelli».

«Ma ne faremo degli altri, vero? Con la birreria all'aperto? Un paio di bicchierini ci vogliono, per buona fortuna».

«Matto che sei. D'accordo. Giusto per buona fortuna».

Così andava, due o tre volte alla settimana. E la ciliegina era che ogni volta che smaltivo una sbornia mi venivano quei sogni. Cadevo, e mi sentivo quel crac nelle orecchie.

I mesi della condanna erano appena finiti quando a Cora arrivò un telegramma, che la madre stava male. Mise quattro cose in valigia e l'accompagnai al treno. Tornando al parcheggio mi sentivo strano, come se fossi fatto di gas e stessi per fluttuare chissà dove. Mi sentivo libero. Per una settimana, comunque, non a- vrei dovuto litigare, e scacciare sogni, e rimettere in allegria una donna con una bottiglia di liquore.

Nel parcheggio una ragazza cercava di far partire la macchina. Niente. Le provava tutte, e non dava segno di vita.

«Che succede? Non vuole andare?».

«L'hanno lasciata accesa quelli del parcheggio, e si è scaricata la batteria».

«Allora tocca a loro, ricaricarla».

«Sì, ma io devo andare a casa».

«Ce la porto io».

«È molto gentile».

«L'uomo più gentile del mondo».

«Non sa nemmeno dove abito».

«Non m'importa».

«È abbastanza lontano. In campagna».

«Più è lontano meglio è. Dovunque sia, mi sta di strada».

«Messa così è difficile dire di no, per una ragazza educata».

«Allora non lo dica».

Era una ragazza coi capelli chiari, forse due o tre anni più grande di me, e piuttosto carina. Ma a colpirmi fu com'era espansiva, e la sua nessuna paura che mi approfittassi di lei, neanche fossi stato un bambino. Certo non era una sprovveduta, si vedeva. E il più bello fu scoprire che non sapeva chi ero. Lungo la strada ci presentammo, e il mio nome non le disse niente. Dio buono, che sollievo. Una persona al mondo che non mi invitava a sedermi un attimo a tavola, per poi chiedermi com'era la storia di quel greco che dicevano fosse morto ammazzato. La guardai, e mi sentii come quando ero venuto via dal treno, mi pareva di essere fatto di gas e sul punto di volare per aria.

«Così ti chiami Madge Allen, eh?».

«Be', in realtà è Kramer, ma dopo la morte di mio marito ho ripreso il nome da ragazza».

«Senti, Madge Allen, o Kramer, o come preferisci, avrei da farti una piccola proposta».

«Sì?».

«Che ne diresti se giriamo la macchina, puntiamo a sud, e tu e io ci facciamo un viaggetto, per una settimana?».

«Oh, non posso mica».

«Perché no?».

«Proprio non posso, ecco tutto».

«Non ti sto simpatico?».

«Ma sì, certo».

«E tu a me. Cosa ci impedisce?».

Fece per dire qualcosa, non lo disse, e si mise a ridere. «Confesso, mi piacerebbe eccome. E per me non fa niente, che sia una stramberia. Ma non posso. È per via dei gatti».

«Gatti?».

«Abbiamo un sacco di gatti. E io sono quella che se ne occupa. Ecco perché bisogna che vada a casa».

«Ma ci sono le pensioni, posti dove li tengono, no? Ne chiamiamo una e gli diciamo di venirli a prendere».

Le sembrò un'idea buffa. «Sai che faccia farebbero, a vederli. Sono gatti un po' speciali».

«I gatti sono gatti, no?».

«Non proprio. Ce n'è di grossi e di piccoli. I miei sono grossi. Non credo che una pensione se la caverebbe bene con quel leone che abbiamo. O con le tigri, e il puma. E i tre giaguari. Quelli sono i peggiori. Un giaguaro è un gattaccio tremendo».

«La miseria! Cosa ci fate, con questi bestioni?».

«Oh, li prestiamo per i film. Vendiamo i cuccioli,

c'è gente che ha zoo privati. Li teniamo attorno. Tirano clienti».

«Me non mi tirerebbero».

«Noi abbiamo un ristorante. La gente se li va a guardare».

«Ma senti, un ristorante. Ne ho uno anch'io. In questo cavolo di paese campano tutti vendendosi hot dog a vicenda».

«Be', insomma, i miei gatti non posso abbandonarli. Devono mangiare».

«Macché non puoi. Telefoniamo a Goebel che venga a prenderli. Con cento dollari baderà a tutto il branco mentre siamo via».

«Cento dollari... pensi che li merita, un viaggio con me?».

«Tutti quanti».

«O mio Dio. Come faccio a dire di no, a questo punto. Telefona a Goebel».

La lasciai da lei, trovai una cabina telefonica, chiamai Goebel, andai a casa e chiusi il locale. Poi tornai a prenderla. Goebel aveva mandato un camion, e lo incrociai che tornava, carico di zanne e di unghioni. La aspettai sulla strada, e dopo un minuto lei comparve, con una borsa da viaggio; la feci salire e partimmo.

«Ti va?».

«Da morire».

Andammo giù a Caliente, e l'indomani scendemmo una settantina di miglia fino a Ensenada, una piccola città messicana lungo la costa, e ci fermammo là tre o quattro giorni, in un alberghetto. Si stava bene. Ensenada è Messico puro, e gli Stati Uniti ti sembrano lontani un milione di miglia. La nostra camera aveva un balconcino, e il pomeriggio ce ne stavamo là a guardare il mare, e a lasciar passare il tempo.

«Gatti, eh. Tu cosa fai, addestri?».

«Quelli che abbiamo noi no, non c'è verso. Tranne le tigri sono tutti dei fuorilegge. Ma sì, li addestro».

«Ti piace?».

«Non molto, quelli più grossi. Però i puma mi piacciono. Metterò su un numero con loro, un giorno o l'altro. Ma ce ne vogliono parecchi. Puma di giungla. Non questi fuorilegge che vedi negli zoo».

«Cos'è un fuorilegge?».

«Uccide».

«Non uccidono tutte, queste bestie?».

«A volte capita, ma con i fuorilegge è regolare. Se fossero uomini sarebbero pazzi furiosi. Viene dall'essere allevati in cattività. Sembrano uguali agli altri, ma in realtà sono matti».

«Come lo distingui, un gatto di giungla?».

«Lo prendo nella giungla».

«Vuoi dire che li prendi *vivi*?».

«Si capisce. Morti non mi servono».

«Dio buono. E come fai?».

«Per prima cosa salgo su una barca e vado giù in Nicaragua. I puma belli vengono tutti dal Nicaragua. Questi della California e del Messico sono sgorbi, a confronto. Poi ingaggio degli indiani e vado su nei monti. Catturo i miei puma, e li porto a casa. Ma stavolta starò un po' di tempo laggiù con loro, per addestrarli. In Nicaragua la carne di capra costa meno della carne di cavallo qui».

«Parli come se fossi pronta a partire».

«Infatti».

Si schizzò un po' di vino in bocca e mi guardò. Là il vino te lo danno in una bottiglia con un beccuccio lungo e sottile, e te lo schizzi in bocca col beccuccio. È per raffreddarlo. Fece così due o tre volte, e ogni volta mi guardava.

«Per me sono pronta, se lo sei tu».

«Ma che, pensi che verrò in cerca di quegli accidenti?».

«Frank, ho portato con me un bel po' di soldi. Lasciamo che Goebel si tenga le mie bestie matte in cambio della pensione, vendiamo la tua auto per quel che ce ne danno, e andiamo a caccia di gatti».

«Affare fatto».

«Vuoi dire che verrai?».

«Quando si comincia?».

«C'è un mercantile che parte da qui domani e fa scalo a Balboa. Telegraferemo a Goebel di là. La tua auto la possiamo lasciare qui all'albergo. La venderanno e ci manderanno il denaro. I messicani hanno questo, sono pigri ma sono onesti».

«Okay».

«Che bello, sono contenta».

«Anch'io. Sono così stufo di hot dog, birra, torta di mele e formaggio che butterei tutto a fiume».

«Ti piacerà, Frank. Troveremo un posto su in montagna, dove fa fresco, e con il mio numero, quando sarà pronto, potremo andare in giro per il mondo. Andare dove ci pare, fare quel che ci pare, e tanti soldi da spendere. Sei un po' zingaro, dentro?».

«Zingaro? Sono nato con gli anelli alle orecchie».

Quella notte non dormii tanto bene. Quando cominciava a far chiaro aprii gli occhi, tutto sveglio. E mi venne in mente, allora, che il Nicaragua non sarebbe stato lontano abbastanza.

CAPITOLO 14

Scese dal treno e aveva un vestito nero che la faceva sembrare più alta, e un cappello nero, scarpe e calze nere, e da come si comportava non pareva lei, mentre il facchino caricava la valigia in macchina. Partimmo, e per qualche miglio nessuno dei due parlò molto.

«Perché non mi hai fatto sapere che era morta?».

«Non volevo darti noia. E poi ho avuto tanto da fare».

«Cora, ho un peso dentro, ci sto male».

«Perché?».

«Ho fatto un viaggetto mentre eri via. Su a San Francisco».

«E perché ci stai male?».

«Non so. Tu là nell'Iowa, con tua mamma moribonda e tutto, e io su a Frisco a spassarmela».

«Non vedo perché devi starci male. Sono contenta che hai fatto un viaggio. Se ci avessi pensato te l'avrei detto io prima di partire».

«Abbiamo perso un po' di lavoro. Ho chiuso il locale».

«Non ti preoccupare. Ci rifaremo».

«Mi sentivo come una smania, quando te ne sei andata».

«O santo cielo, non ce l'ho con te».

«Avrai passato dei momenti brutti».

«Non è stato molto piacevole. Ma adesso è finita, comunque».

«Quando arriviamo a casa ti do un goccio da bere. Ti ho portato della buona roba, da là fuori».

«Non ne voglio».

«Ti tirerà su».

«Di bere ho smesso».

«Sì?».

«Ti racconterò. È una lunga storia».

«Si direbbe che ne sono successe di cose, nell'Iowa».

«No, non è successo niente. Solo il funerale. Ma ho tanto da dirti. Penso che d'ora in poi vivremo meglio».

«Be', caspita, che c'è?».

«Non adesso. Sei stato a trovare i tuoi?».

«Per cosa?».

«Comunque, te la sei passata bene?».

«Più o meno. Bene quanto potevo senza di te».

«Scommetto che sei stato benissimo. Ma sono contenta che l'hai detto».

Quando arrivammo c'era un'auto ferma davanti a casa, e un tale seduto dentro. Fece un sorrisetto sciocco e scese. Era Kennedy, l'uomo di Katz.

«Vi ricordate di me?».

«Come no. Vieni pure».

Lo facemmo entrare, e Cora mi tirò in cucina.

«Brutto affare, Frank».

«Che vuoi dire, brutto affare?».

«Non so, ma me lo sento».

«Meglio che ci parli io».

Tornai da lui, Cora ci portò due birre e ci lasciò. Cercai di venire presto al dunque.

«Stai ancora con Katz?».

«No, l'ho piantato. Abbiamo avuto una questioncella e sono venuto via».

«E adesso cosa fai?».

«Niente di niente. A dire il vero è per questo che sono venuto a trovarti. Sono già stato qui un paio di volte, ma a casa non c'era nessuno. Stavolta però ho sentito che eri tornato, così sono rimasto a aspettare».

«Di' pure, se posso fare qualcosa...».

«Mi chiedevo se potresti darmi qualche soldo».

«Certo, figurati. Naturalmente con me non ho molto, ma se ti servono cinquanta o sessanta dollari te li do volentieri».

«Speravo qualcosina di più».

Aveva sempre quel sorrisetto sulla faccia, e pensai che era ora di lasciar perdere le schermaglie e di scoprire cosa aveva in mente.

«Avanti, Kennedy. Di che si tratta?».

«Ti dirò com'è. Ho lasciato Katz. E quella carta, quella che ho scritto per la signora Papadakis, era ancora nel suo schedario, capisci? E siccome lei è amica tua eccetera, sapevo che non ti va di lasciare in giro una cosa simile. Così l'ho presa. Ho pensato che magari ti piacerebbe riaverla».

«Vuoi dire quella baggianata di confessione fasulla?».

«Già. Lo so, naturalmente, che non valeva niente, ma ho pensato che ti potrebbe far piacere riaverla».

«Quanto ne vuoi?».

«Be', tu quanto pagheresti?».

«Mah, non so. Non vale niente, come tu dici, ma forse un centone lo darei. Sicuro. Cento, sì».

«Avevo idea che valesse di più».

«Sì?».

«Pensavo a venticinquemila».

«Sei pazzo?».

«No, non sono pazzo. Hai avuto dieci bigliettoni da Katz. Il locale qui ha fatto soldi, diciamo cinque bigliettoni. Poi dalla banca potresti averne dieci, sulla proprietà. Papadakis l'ha pagata quattordici, quindi è probabile che dieci te ne daranno. Be', fa venticinque-mila».

«Vorresti ripulirmi al completo, per quell'affare?».

«Merita».

Non mi mossi, ma si vede che mi passò un lampo negli occhi, perché lui cacciò di tasca un'automatica e me la puntò contro. «Niente scherzi, Chambers. Primo, quella carta non l'ho con me. Secondo, se pianti grane ti stendo».

«Non pianto grane».

«Bene, vedi di non farlo».

Teneva la pistola puntata su di me, e io gli occhi su di lui. «Mi hai incastrato, immagino».

«Io non lo immagino. Lo so».

«Ma esageri il conto».

«Continua, Chambers».

«Abbiamo avuto i dieci di Katz, giusto. E li abbiamo ancora. Con il locale ne abbiamo fatti cinque, ma nell'ultimo paio di settimane uno l'abbiamo speso in viaggi. Cora è andata a seppellire sua madre, e sono stato fuori anch'io. Per questo siamo rimasti chiusi».

«Avanti, continua».

«E sulla proprietà dieci non ce li danno. Come stanno adesso le cose, non potremmo averne neanche cinque. Quattro, forse».

«Continua».

«Allora, dieci, quattro e quattro. Sono diciotto».

Fece un sogghigno sopra la canna della pistola e si alzò. «Va bene. Diciottomila. Ti telefono domani, per sentire se li hai. Se li hai ti dirò cosa fare. Se non li hai, quella carta va da Sackett».

«È dura, ma mi hai incastrato».

«Domani allora ti telefono. A mezzogiorno. Così avrai tempo di andare in banca e tornare».

«Okay».

Indietreggiò verso la porta, sempre con la pistola su di me. Era quasi sera, cominciava a far buio. Mentre arretrava mi appoggiai al muro, come per sconforto.

Quando fu a metà fuori dalla porta accesi di botto la luce dell'insegna. Si girò, abbagliato, e gli sferrai un pugno. Cadde a terra e gli fui addosso. Gli strappai la pistola di mano, la gettai all'interno e lo colpii di nuovo. Poi lo trascinai dentro e chiusi la porta con un calcio. Cora stava lì. Era rimasta in ascolto tutto il tempo.

«Prendi la pistola».

La raccolse e io tirai su lui, lo sbattei su un tavolo a schiena sotto e lo pestai. Quando svenne presi un bicchiere d'acqua, glielo versai in faccia, e appena si riebbe lo pestai di nuovo. Smisi che la sua faccia pareva un pezzo di manzo crudo, e lui frignava come un ragazzino nell'ultimo tempo di una partita di rugby.

«Sveglia, Kennedy. Adesso ti fai una chiacchierata al telefono coi tuoi compari».

«Non ne ho compari, Chambers. Giuro, son solo io a sapere di questa cosa...».

Gli mollai un cazzotto e ricominciammo da capo. Continuava a dire di non avere compari, così gli torsi un braccio dietro la schiena e feci leva sul gomito. «Va bene, Kennedy. Se non hai compari te lo rompo».

Resistette più di quel che avrei creduto. Gli premevo sul braccio con tutta la forza, e mi chiedevo se davvero ce l'avrei fatta a romperglielo. Avevo il braccio sinistro ancora debole, per la mia frattura. Se avete mai provato a spezzare in due la zampa di un grosso tacchino, forse capirete com'è difficile rompere il braccio a un uomo con quella presa di gomito. Ma d'un tratto gridò che avrebbe telefonato. Lo mollai e gli spiegai cosa doveva dire. Poi lo piazzai al telefono della cucina e tirai in qua l'apparecchio di sala attraverso la porta a dondolo, così da poterlo sorvegliare e sentire cosa si dicevano. Cora venne anche lei in cucina, con la pistola.

«Se ti faccio segno, sparagli».

Lei si mise comoda sulla sedia e un sorriso terribile le guizzò agli angoli della bocca. Credo che quel sorriso lo spaventò più di tutto quello che gli avevo fatto io.

«Lo ammazzo».

Kennedy telefonò, e rispose un uomo. «Sei tu, Willie?».

«Pat?».

«Sì. Ascolta. È tutto sistemato. Quando puoi venire qui con quella cosa?».

«Domani, come si era detto».

«Non potresti stasera?».

«Come ci arrivo alla cassetta di sicurezza, con la banca chiusa?».

«D'accordo, allora fai come ti dico. Vai a prenderla domattina presto e portamela. Io sono qui da lui».

«*Da lui?*».

«Sta' a sentire, Willie. Lui sa che l'abbiamo inchiodato, chiaro? Ma ha paura che se la donna scopre che gli tocca pagare tutti quei soldi gli metterà i bastoni fra le ruote, capisci? Metti che lui esce, e lei fiuta che c'è qualcosa sotto e magari le salta il ticchio di accompagnarlo. Così facciamo tutto qui. Io sono solo uno che passa la notte nel loro motel, e lei non sospetterà niente. Domani, tu sei solo un amico mio e va tutto a posto».

«I soldi come li rimedia, se non esce di casa?».

«È tutto sistemato».

«E perché diavolo tu passi la notte lì?».

«C'è la sua ragione, Willie. Perché forse è un trucco, quello che dice della donna, e forse no, chiaro? Ma se io sto qui, nessuno dei due può svignarsela, mi spiego?».

«Lui ti può sentire, quello che dici?».

Kennedy mi guardò, e gli feci segno di sì con la testa. «È qui con me, nella cabina del telefono. Voglio che mi senta, Willie, chiaro? Così capisce che siamo gente seria».

«È un modo curioso di combinarla, Pat».

«Ascolta, Willie. Tu non sai, e io non so, e nessuno di noi sa se lui è sincero o no. Ma forse sì, e io gli sto dando una possibilità. Che diavolo, se uno è disposto a pagare dobbiamo andarci d'accordo, no? Ecco qua. Tu fai come ti dico. Porti qui quell'affare più presto che puoi domattina. Più presto che puoi, capito? Perché non voglio che quella cominci a chiedersi cosa accidenti sto qui a ciondolare tutto il giorno».

«Okay».

Riappese. Mi avvicinai e gli diedi un cazzotto. «Tanto perché ti ricordi di dirle giuste quando lui richiama. Chiaro, Kennedy?».

«Chiaro».

Aspettai qualche minuto, ed ecco la chiamata. Risposi, poi Kennedy prese la cornetta e rifilò a Willie altre balle dello stesso genere. Stavolta, disse, era solo. A Willie piacque poco, ma dovette abbozzare. Portai Kennedy in uno dei casotti sul retro. Cora ci accompagnò, e io presi la pistola. Appena messo dentro lui, uscii fuori con lei e la baciai.

«Questo perché vai forte, al momento brutto. Ora sta' a sentire. Io resto qui con lui tutta la notte, non lo lascerò un minuto. Ci saranno altre telefonate e lo porteremo in casa a parlare. Penso sia meglio che apri la birreria, i tavoli fuori, cioè, senza far entrare nessuno in sala. Così se i suoi amici vengono a dare una spiata, tu sei al tuo posto e tutto è regolare».

«Va bene. E senti, Frank».

«Sì?».

«La prossima volta che faccio la scema, mi dai una bella botta in testa?».

«Che vuoi dire?».

«Avremmo dovuto andar via. Adesso l'ho capito».

«Manco per sogno. Con quella carta in giro».

Mi dette un bacio, allora. «Ti voglio bene, Frank».

«Ce la faremo, non aver paura».

«Non ne ho».

Rimasi con Kennedy tutta la notte. Non lo feci mangiare, non lo feci dormire. Tre o quattro volte dovette parlare con Willie, e una volta Willie volle parlare con me. A quel che pareva filava liscia. Negli intervalli lo pestavo. Una faticaccia, ma volevo che gli premesse di veder arrivare quella carta prima possibile. Mentre si puliva il sangue dalla faccia, con un asciugamano, si sentiva la radio là fuori, e la gente ai tavoli che rideva e ciarlava.

La mattina, verso le dieci, si affacciò Cora. «Sono arrivati, credo. Sono in tre».

«Portali sul retro».

Prese la pistola, la infilò nella cintola in modo che di fronte non si vedesse, e andò via. Dopo un po' sentii cadere qualcosa. Era uno degli scagnozzi. Cora li faceva camminare davanti a lei, all'indietro e con le mani in alto, e uno di loro era caduto inciampando col calcagno nel marciapiede di cemento. Aprii la porta. «Da questa parte, signori».

Entrarono, sempre a mani in alto, e lei entrò dopo di loro e mi diede la pistola. «Erano armati, ma gli ho fatto mollare le pistole in sala».

«Meglio andarle a prendere. Forse hanno altri amici».

Andò, e tornò subito con le pistole. Tolse i caricatori e le posò sul letto vicino a me. Poi frugò nelle tasche dei tre, e venne fuori la carta. E il bello fu che in un'altra busta c'erano delle copie fotostatiche, sei positivi e un negativo. Avevano pensato di continuare a ricattarci, con le copie, e poi erano stati tanto scemi da venire con quelle addosso. Le portai tutte fuori, insieme all'originale, le accartocciai per terra e gli diedi fuoco con un fiammifero. Quando furono bruciate pestai la cenere nel terriccio e rientrai.

«Okay, ragazzi. Possiamo andare. L'artiglieria la teniamo qui».

Li scortai alle loro auto, partirono, e tornai dentro; lei non c'era. Andai sul retro e non c'era. Salii di sopra. Era in camera nostra. «Be', è fatta, no? Storia liquidata, copie e tutto. Dava pensiero anche a me».

Lei non disse niente, e aveva uno strano sguardo negli occhi. «Che c'è, Cora?».

«Così è una storia liquidata, eh? Copie e tutto. Io però non sono liquidata. Di copie ne ho un milione, buone come quelle. Alla faccia tua. Un milione, ne ho. Sono in cenere, io?».

Scoppiò a ridere e si buttò sul letto.

«D'accordo. Se sei così scema da infilare il collo nel cappio solo per fregare me, di copie ne hai un milione. Sicuro. Un milione».

«Oh no, questo è il bello. Non devo infilare il collo in nessun cappio. Non te l'ha detto, il signor Katz? Una volta che mi hanno processato per omicidio colposo non possono farmi altro. È nella Costituzione, o che so io. No, caro Frank Chambers. Non mi costa un fico farti ballare per aria. E questo ti toccherà, ballare ballare ballare».

«Ma cos'è che ti rode, mi vuoi dire?».

«Non lo sai? Ieri sera è venuta la tua amica. Non sapeva di me, e ha passato la notte qui».

«Quale amica?».

«Quella che ci sei andato in Messico. Mi ha raccontato tutto. Abbiamo fatto amicizia, ha pensato che era meglio essere buone amiche. Quando ha scoperto chi ero credeva che l'avrei uccisa».

«In Messico non ci sono stato da un anno».

«Oh sì che ci sei stato».

Uscì e la sentii andare in camera mia. Quando tornò aveva con sé un gattino, ma un gattino che era più grosso di un gatto. Era grigio, con delle macchie. Me lo posò davanti sul tavolo e quello si mise a miagolare. «Il puma ha avuto i piccoli mentre eri via, e lei te ne ha portato uno per ricordo».

Si addossò al muro e di nuovo rise, un riso folle, frenetico. «È tornato, il gatto! Era morto fulminato ma rieccolo qui! Ah, ah, ah, ah, ah, ah! Buffo, no, che sfortuna hai coi gatti?».

CAPITOLO 15

Le cedettero i nervi, pianse, e quando si fu calmata scese di sotto. Scesi anch'io, subito dopo. Stava strappando le falde di una grossa scatola di cartone.

«Preparo il nido per il nostro cucciolo, dolcezza».

«Brava».

«Cosa ti credevi?».

«Non credevo niente».

«Non preoccuparti. Quando sarà ora di dare un colpo di telefono a Sackett te lo farò sapere. Prenditela calma. Avrai bisogno di tutte le tue forze».

Imbottì il fondo di trucioli, li coprì con dei panni di lana, portò la scatola di sopra e ci mise dentro il puma. Il puma fece qualche miagolo e si addormentò. Tornai giù a farmi una coca. Ci avevo appena messo uno schizzo di tonico e lei stava già sulla porta.

«Prendo qualcosa per tenermi in forze, dolcezza».

«Bravo».

«Cosa ti credevi?».

«Non credevo niente».

«Non preoccuparti. Quando sarò pronto a filare te lo farò sapere. Prenditela calma. Puoi aver bisogno di tutte le tue forze».

Mi dette un'occhiata di traverso e tornò di sopra. Andò avanti così tutto il giorno, io che le stavo dietro per paura che telefonasse a Sackett, lei che mi stava dietro per paura che me la svignassi. Il locale non lo aprimmo affatto. Tra un giretto in punta di piedi e l'altro ce ne stavamo seduti di sopra in camera. Non ci guardavamo. Guardavamo il puma. Miagolava, e lei scendeva a prendergli un po' di latte. Io scendevo con lei. Il puma lappava il latte e si addormentava. Non aveva molta voglia di giocare, era troppo piccolo. Il più del tempo miagolava o dormiva.

Quella notte ci stendemmo fianco a fianco senza dire una parola. Devo aver dormito, perché mi vennero quei sogni. Tutt'a un tratto aprii gli occhi, e prima ancora di essere ben sveglio ero lì che correvo al piano di sotto. A svegliarmi era stato il rumore del telefono, il disco. Lei stava all'apparecchio di sala, tutta vestita, col cappello in testa, e una cappelliera di bagaglio posata accanto. Le strappai il ricevitore e lo sbattei sul gancio. La presi per le spalle, la spinsi a scossoni attraverso la porta a dondolo, su per le scale. «Va' di sopra! Va' di sopra, o io ti...».

«O tu cosa?».

Squillò il telefono e andai a rispondere.

«Eccomi, dite pure».

«Servizio taxi».

«Ah. Ah sì, vi ho chiamato, ma ho cambiato idea. Non serve più».

«Okay».

Quando andai di sopra si stava spogliando. Tornammo a letto e di nuovo stemmo lì un pezzo senza dire una parola. Poi lei sbottò.

«O tu cosa?».

«Che t'importa? Ti avrei preso a sberle, magari. O magari qualcos'altro».

«Era qualcos'altro, vero?».

«Adesso dove vuoi arrivare?».

«Frank, lo so quel che è. Te ne stavi lì steso, a pensare a un modo di uccidermi».

«Ma se dormivo».

«Non mentirmi, Frank. Perché io non ti voglio mentire, e ho qualcosa da dirti».

Ci rimuginai su a lungo. Perché proprio questo avevo fatto, ero stato lì, accanto a lei, tutto teso a pensare un modo di ucciderla.

«Va bene. Hai ragione».

«Lo sapevo».

«E tu, eri meglio? Non volevi darmi in mano a Sackett? Non era la stessa cosa?».

«Sì».

«Allora siamo pari. Pari, di nuovo. Come al principio».

«Non proprio».

«Oh sì». Anche a me, allora, cedettero un poco i nervi, e le appoggiai la testa sulla spalla. «La verità è proprio questa. Possiamo prenderci in giro quanto ci pare, e ridercela per i soldi, e brindare a che gran compagno di letto è il diavolo, ma la verità è questa. Stavo andando via con quella donna, Cora. In Nicaragua, a caccia di gatti. E se non sono andato è perché ho capito che dovevo tornare. Siamo incatenati uno all'altro, Cora. Credevamo di stare in cima a un monte. Invece no. La montagna l'abbiamo addosso noi, l'abbiamo addosso da quella notte».

«È solo questa la ragione, se sei tornato?».

«No, la ragione siamo tu e io. Non c'è nessun altro. Io ti amo, Cora. Ma l'amore, quando c'è dentro la paura, non è più amore. È odio».

«Così tu mi odi?».

«Non lo so. Ma ci stiamo dicendo la verità, per una volta in vita nostra. E nella verità c'è questo. Devi saperlo. E di quello che stavo qui a pensare, la ragione è questa. Adesso lo sai».

«Frank, ti ho detto che avevo da dirti una cosa».

«Oh».

«Aspetto un bambino».

«*Cosa?*».

«Lo sospettavo già prima di andare via, e subito dopo che mia madre è morta sono stata sicura».

«Accidenti. Accidenti. Vieni qua. Dammi un bacio».

«No. Ti prego. Devo dirti una cosa».

«Non l'hai detta?».

«Non quello che voglio dire. Ascolta, Frank. Ci ho pensato tutto il tempo che ero là, aspettando che finisse il funerale. A quello che avrebbe significato per noi. Perché noi abbiamo preso una vita, no? E adesso ne daremo una in cambio».

«Giusto».

«Era tutto confuso, quello che pensavo. Ma adesso, dopo quello che è successo con quella donna, non è più confuso. Non potrei telefonare a Sackett, Frank. Non potrei chiamarlo, perché non potrei avere questo bambino, e poi lui scopre che ho fatto impiccare suo padre come un assassino».

«Stavi andandoci, da Sackett».

«No, non è vero. Stavo andando via».

«È solo per questo che non andavi da lui?».

Rimase a lungo in silenzio prima di rispondere. «No. Ti amo, Frank, e lo sai, credo. Ma forse, se non era per questo, da lui ci sarei andata. Proprio *perché* ti amo».

«Lei per me non significava niente, Cora. Ti ho detto perché l'ho fatto. Scappavo».

«Lo so. L'ho sempre saputo. Sapevo perché volevi portarmi via, e quello che ti ho detto, che eri un vagabondo, non ci credevo. Ci credevo, ma non era per questo che volevi andare via. Che tu sei un vagabondo, è un motivo per cui ti amo. E quella l'ho odiata per come ti si è rivoltata contro solo perché non le avevi detto qualcosa che a lei non la riguardava per niente. Eppure ti volevo rovinare, per questo».

«Ebbene?».

«Sto cercando di dirlo, Frank. È questo che sto cercando di dire. Volevo rovinarti, eppure non potevo an-

114

dare da Sackett. Non era perché continuavi a sorvegliarmi. Avrei potuto correre via e arrivare da lui. Era perché... come ti ho detto. Ecco, insomma, io del diavolo mi sono liberata, Frank. So che Sackett non lo chiamerò mai, perché ho avuto la mia occasione, e avevo le mie ragioni, e non l'ho fatto. Così il diavolo mi ha lasciato. Ma te, ti ha lasciato?».

«Se ha lasciato te, io cos'altro ci ho a che fare, con lui?».

«Non saremmo sicuri. Non potremmo mai essere sicuri, se tu non hai la tua occasione. Come ho avuto io».

«È sparito, ti dico».

«Mentre pensavi al modo di uccidermi, Frank, io pensavo alla stessa cosa. Al modo in cui mi potresti uccidere. Mi puoi uccidere in acqua, quando andiamo a nuotare. Andremo un po' al largo, come l'ultima volta, e se non vuoi che io torni a riva puoi non farmi tornare. Non lo saprà mai nessuno. Sarà una di quelle cose che capitano in mare. Ci andremo domattina».

«Domattina quello che faremo è sposarci».

«Possiamo sposarci, se vuoi, ma prima di tornare a casa andremo a nuotare».

«Al diavolo il nuoto. Su, dammi un bacio».

«Ci baceremo domani sera, se torno. E saranno baci belli, Frank. Non da ubriachi. Baci con dei sogni dentro. Baci che vengono dalla vita, non dalla morte».

«D'accordo».

Ci sposammo in Municipio e poi andammo alla spiaggia. Era così carina che io avevo solo voglia di giocare con lei sulla sabbia, ma sulla sua faccia c'era quel sorrisetto, e dopo un po' si alzò e entrò in acqua.

«Io vado».

Nuotò verso il largo, e io la seguii. Andò avanti un bel tratto, molto più in là di dov'era arrivata l'altra volta. Poi si fermò e la raggiunsi. Mi guizzò accanto e mi prese la mano, e ci guardammo. Capì, allora, che non c'era più nessun diavolo, e che l'amavo.

«Ti ho mai detto perché mi piace tenere i piedi contro le onde?».

«No».

«Così le onde li sollevano».

Un'onda grossa ci spinse su, e lei mise la mano ai seni, per mostrare come l'onda li sollevava. «Che bello. Sono grandi, Frank?».

«Te lo dirò stanotte».

«Me li sento grandi. Non te l'ho detto, ma non è solo sapere che stai per creare un'altra vita, è quello che ti fa questa cosa. Mi sento i seni così grandi, e voglio che tu li baci. Fra poco mi diventerà grande anche la pancia, e sarà bello, e voglio che tutti la vedano. È vita. La sento dentro di me. È una vita nuova per tutti e due, Frank».

Riprendemmo a nuotare, verso riva, e a un certo punto mi immersi sott'acqua. Andai giù un tre metri. Mi accorsi che erano tre metri dalla pressione. Nelle piscine per lo più l'acqua è alta tanto, e la profondità era quella. Detti una frustata di gambe e andai giù ancora. Mi sentivo premere le orecchie che credevo scoppiassero. Ma non dovetti tornare su. La pressione sui polmoni spinge l'ossigeno nel sangue, di modo che per qualche secondo non hai problemi di fiato. Guardavo l'acqua verde. E con le orecchie che mi ronzavano e quel peso sulla schiena e sul petto mi sembrò che tutta la cattiveria, la meschinità, l'inettitudine, la nullaggine della mia vita fosse spremuta e lavata via, e io fossi pronto a ricominciare con lei da zero, e fare come lei diceva, avere una nuova vita.

Quando riaffiorai lei tossiva. «Niente, solo un po' di nausea, come capita».

«Stai bene?».

«Mi pare di sì. Viene e poi passa».

«Hai mandato giù acqua?».

116

«No».

Nuotammo per un breve tratto, e lei si fermò. «Frank, mi sento strana dentro».

«Qua, reggiti a me».

«Oh, Frank. Forse mi sono sforzata troppo, poco fa. Per tenere su la testa, e non bere acqua salata».

«Sta' calma».

«Sarebbe tremendo, ho sentito di donne che hanno avuto un aborto. Per essersi sforzate».

«Sta' calma. Stenditi nell'acqua, non cercare di nuotare. Ti rimorchio io».

«Non sarebbe meglio chiamare un bagnino?».

«Cristo, no. Quello vorrà che batti le gambe su e giù. Non ti muovere. Ti porterò a riva prima di lui».

Rimase lì stesa e la tirai per la spallina del costume da bagno. Cominciarono a mancarmi le forze. Avrei potuto trascinarla per un miglio, ma continuavo a pensare che dovevo portarla in ospedale, e mi affrettavo, e in acqua se ti affretti è la fine. Dopo un po' tuttavia toccai fondo, e allora la presi in braccio e la portai di furia fino all'arenile. «Non ti muovere. Faccio io».

«Sì».

Corsi con lei al posto dov'era la nostra roba e la posai a terra. Presi dal mio maglione la chiave dell'auto, coprii Cora alla meglio e la portai verso l'auto, che era sul bordo della strada sopra la spiaggia. Dovetti arrampicarmi sull'argine, e avevo le gambe così stanche che riuscivo a stento a alzarle una dopo l'altra, ma Cora la tenni stretta. La deposi in macchina, misi in moto e cominciai a bruciare la strada.

Eravamo andati a nuotare un paio di miglia sopra Santa Monica, e laggiù c'era un ospedale. Mi trovai dietro a un grosso camion. Aveva un cartello, SUONATE E VI DO STRADA. Pestai sul clacson e quello continuava a starsene in mezzo. A sinistra non potevo superarlo, perché mi veniva contro tutta una fila di macchine. Mi spostai a destra e diedi gas. Cora gridò. Il muro del condotto non lo vidi. Ci fu uno schianto, e tutto diventò nero.

Quando rinvenni ero incastrato di fianco al volante, rivoltato di schiena, ma a farmi gemere fu l'orrore di ciò che udivo. Come la pioggia su un tetto di lamiera, ma non era questo. Era il suo sangue che gocciava sul cofano, dove lei aveva sfondato il parabrezza. C'era un suonare di clacson, e gente che accorreva, dalle macchine. La tirai su e cercai di fermare il sangue e intanto le parlavo e piangevo e la baciavo. Quei baci non le arrivarono mai. Era morta.

CAPITOLO 16

Mi arrestarono. Stavolta Katz si prese tutto, i diecimila che avevamo intascato grazie a lui, i soldi che avevamo fatto noi, e un atto di cessione del locale. Per me fece del suo meglio, ma era battuto in partenza. Sackett disse che ero un cane rabbioso, un pericolo per la vita altrui, e andavo eliminato. Fece tutto un quadro. Avevamo ucciso il greco per i soldi dell'assicurazione, poi avevo sposato Cora e ucciso anche lei, per tenermeli tutti. Quando lei aveva scoperto la storia del viaggio in Messico, per me era stata una spinta a far presto, nient'altro. Citò il referto dell'autopsia, che Cora aspettava un bambino, e disse che la spinta m'era venuta anche da questo. Chiamò Madge al banco dei testimoni, e lei non voleva ma dovette raccontare del viaggio in Messico. Fece perfino portare in aula il puma. Era cresciuto, ma era stato accudito malamente, aveva un'aria rognosa e malaticcia, gnaulava, e cercò di morderlo. Vederlo, brutto com'era, non mi fece del bene, credetemi. Ma a mandarmi veramente a picco fu il biglietto che Cora aveva scritto prima di telefonare al taxi, e poi l'aveva messo nel registratore di cassa per farmelo trovare la mattina dopo, e se n'era scordata. Io non l'avevo mai visto, perché prima di andare a nuotare il locale non lo avevamo aperto, e nel registratore di cassa non ci avevo guardato per niente. Era il biglietto più dolce del mondo, ma c'era anche scritto che avevamo ammazzato il greco, e fu questo a dare il tracollo. Discussero tre giorni, e Katz tirò in ballo tutta la giurisprudenza della contea di Los Angeles, ma il giudice ammise il biglietto come elemento di prova, con la storia dell'uccisione del greco. Sackett disse che ce n'era di che, per stabilire un movente; a parte il fatto che ero un cane rabbioso. Katz non mi fece nemmeno andare al banco. Cosa potevo dire? Che della morte di Cora ero innocente perché non avevo bisogno di ucciderla, visto che i guai per l'assassinio del greco ormai erano risolti? Bella deposizione, sarebbe stata. I giurati stettero via cinque minuti. Il giudice disse che intendeva usarmi lo stesso riguardo che avrebbe usato a qualunque cane rabbioso.

Così adesso mi trovo nel braccio della morte, a scrivere le ultime righe di questa storia, in modo che padre McConnell possa darle una ripassata e mostrarmi dove magari conviene aggiustarla un po', per la punteggiatura eccetera. Se ottengo un rinvio lui deve custodirla e aspettare come vanno le cose. Se mi commutano la pena dovrà bruciarla, e questi qui dalla mia bocca non sapranno mai se c'è stato un delitto o no. Ma se mi impiccano deve prenderla e vedere se trova qualcuno che la pubblichi. Non ci saranno rinvii, e non ci sarà commutazione, lo so bene. Non mi sono mai illuso. Ma in questo posto si spera comunque, perché non puoi farne a meno. Confessare non ho confessato niente, è un fatto. Ho sentito dire da uno che senza la confessione non ti impiccano. Non so. Se padre McConnell non mi contraria, da me non sapranno mai niente. Forse avrò un rinvio.

Ho la testa confusa, e sono stato a pensare a Cora. Lei lo saprà, credete, che non l'ho fatto apposta? Dopo quello che ci siamo detti nell'acqua uno immagina che dovrebbe saperlo. Ma questo è il brutto, a giocare col diavolo. Magari quando l'auto ha sbattuto le è passato per la mente che ero stato io, in qualche modo. Ecco perché spero di avere un'altra vita, dopo questa. Padre McConnell dice che ce l'ho, e io voglio vedere Cora. Voglio che sappia che era tutto vero, quello che ci siamo detti, e che non sono stato io. Cosa aveva, che mi fa pensare a lei in questo modo? Non lo so. Voleva qualcosa, e cercava di averla. Come ci ha provato era tutto sbagliato, ma ci ha provato. E perché avesse quel sentimento per me non lo so. Mi conosceva, me l'ha rinfacciato tante volte, che ero niente di buono. Io non ho mai desiderato veramente qualcosa, tranne lei. Ma è molto. Anche solo questo, è una cosa che a una donna, penso, non capita spesso di averla.

C'è uno nella cella 7 che ha ammazzato il fratello, e dice che in realtà a farlo non è stato lui, ma il suo subconscio. Gli ho chiesto cosa significa, e ha detto che noi abbiamo due io, uno che lo conosciamo e l'altro no, perché è subconscio. Mi ha scombussolato. Sono stato davvero io a farlo, senza sapere? Dio onnipotente, non posso crederci. Non sono stato io. L'amavo tanto allora, vi dico, che sarei morto per lei. Al diavolo il subconscio. Non ci credo. È solo una balla che il tizio si è inventata per infinocchiare il giudice. Uno sa quello che fa, e lo fa. Io questa cosa non l'ho fatta, lo so bene. E a lei lo dirò, se mai la rivedo.

Mi sento la testa balorda, adesso. Credo che mettono qualche droga nel mangiare, così non ci pensi. Io cerco di non pensare. Quando mi riesce, sono là fuori con Cora, con il cielo sopra di noi, e l'acqua intorno, e parliamo di come saremo felici, e che durerà per sempre. Mi sa che ho traversato il grande fiume, quando sto là con lei. È allora che sembra vero, di un'altra vita, non per tutta questa roba che dice padre McConnell, per spiegarmi. Quando sto con lei ci credo. Quando comincio a rimuginare, va tutto all'aria.

Niente rinvio.

Vengono. Padre McConnell dice che le preghiere aiutano. Se siete arrivati fin qui, mandatene su una per me, e Cora, una preghiera perché stiamo insieme, io e lei, dove che sia.

gli Adelphi